D1572302

La Secrétaire

Alexandre Wickham

La Secrétaire

ROMAN

Albin Michel

© Éditions Albin Michel S.A., 2001
22, rue Huyghens, 75014 Paris

www.albin-michel.fr

ISBN 2-226-12568-X

Aux femmes qui ont contribué,
parfois sans le savoir,
à l'existence de ce livre.

1.

L'entretien

Lorsqu'un chef lui souriait, Laetitia y voyait toujours un signe de mauvais augure. Le fait que l'homme avec lequel elle avait pris rendez-vous fût l'adjoint du directeur des Ressources humaines n'arrangeait rien. Daniel Buté fit un signe de la main pour l'inviter à entrer dans son bureau.

C'était la troisième fois qu'elle montait au neuvième étage, le royaume de la direction de la Compagnie, et elle se sentait un peu intimidée. Elle jeta un coup d'œil à sa montre : 11 heures.

Il ne l'avait pas fait attendre. Peut-être, après tout, était-elle trop méfiante.

— Alors, qu'est-ce que je peux faire pour vous ?

Elle avait répété pendant des jours ce qu'elle allait lui dire, et pourtant aucun son ne franchissait ses lèvres.

— Qu'est-ce qu'il y a ? Vous êtes timide ?

— Non, pas du tout, c'est que... enfin vous serez peut-être un peu surpris par ma démarche.

— Sûrement pas, dit-il d'une voix qui trahissait un léger agacement, allez-y, je vous écoute.

— Eh bien voilà, je voudrais changer de service.

Son interlocuteur bascula son fauteuil en arrière, sans quitter ses cheveux blonds des yeux. Elle était coiffée court, ce qui accentuait son air juvénile, et portait une veste noire assez stricte. Seule sa robe grise, fendue sur le côté, suggérait une touche d'audace.

— Quel est votre problème ?

— Je n'en ai pas. Mais cela va faire quatre ans que je suis là-bas et j'aimerais voir autre chose.

De nouveau ce sourire. Un chauve qui sourit c'est curieux, se dit-elle, il a tout de suite un côté diabolique. Il lui faisait penser à l'immense majordome de la famille Adams. Un peu moins grand peut-être que dans la série télévisée dont elle n'avait manqué aucun épisode. Elle avait hésité à le voir. Daniel Buté n'avait pas la réputation de se passionner pour le sort des employés. Pourtant cette tâche ingrate faisait partie de ses attributions.

— La difficulté c'est qu'en ce moment je ne vois pas ce que je pourrais vous proposer...

— En fait, je crois que je sais où je voudrais aller.

Il la fixa avec un certain étonnement. Laetitia Rossi ne s'était jamais distinguée jusqu'ici. Il avait jeté un coup d'œil sur son dossier avant de la recevoir : stagiaire au service Formation pendant six mois, puis secrétaire à la direction commerciale et, depuis, secrétaire du directeur financier de la CGP. Un poste sensible pour son âge. Et elle en avait déjà fait le tour ? Ce serait un signe inquiétant d'instabilité.

— Vous savez, ce n'est pas comme ça que ça se passe, dit-il d'un ton protecteur.

— Mais on nous dit souvent que c'est à nous de faire notre carrière, de nous prendre en main...

Il ne dissimula pas, l'espace d'une seconde, une grimace expressive. Une carrière ? Pour qui se prenait-elle ? Elle était une minuscule goutte d'eau, un instrument au service du président du groupe, point final. On leur avait tellement parlé de prise de risque et d'investissement sur l'intelligence qu'ils avaient fini par y croire.

— Bien sûr, mais...

— C'est théorique, c'est ça ?

— Pas du tout, mais ça doit s'inscrire dans un projet professionnel cohérent...

— Ah, je vois. Les responsabilités, les expériences diversifiées c'est pour les cadres, mais pas pour nous ?

— Ce n'est pas ce que j'ai dit, marmonna-t-il d'un air las. Alors c'est quoi votre idée ?

— Voilà, dit-elle avec un sourire éclatant, je souhaiterais aller à la division Médias-Internet.

Il y eut un silence.

— La division..., bredouilla-t-il, mais pourquoi là ? Les places sont chères, comme vous le savez. Et pourquoi vous ?

— Je sais que ça peut paraître prétentieux mais ça fait un moment que je travaille la question.

Il avait l'air de plus en plus abasourdi.

— Quelle question ?

Elle le regarda d'un air triomphant.

— Eh bien le rachat de Rio-Mondo.

L'hypothèse que la Compagnie Générale de Participations puisse acquérir l'un des principaux groupes de médias brésiliens circulait depuis un moment à l'intérieur de la société. Laetitia n'était pas concernée par cette affaire. Cependant, depuis plusieurs semaines, elle s'y intéressait et lisait tout ce qui lui tombait sous la main. Elle n'aurait pas su expliquer cet engouement irrationnel. Ce projet exotique allait jouer un rôle dans sa vie : telle était sa seule certitude.

— Je ne savais pas que vos compétences étaient aussi étendues, grommela l'homme des relations humaines qui ignorait lui-même tout du sujet.

11

— Vous faites de l'ironie, mais il se trouve simplement que ma meilleure amie est brésilienne et...

L'autre crut entrevoir un immense tunnel où il allait laisser une partie de son précieux temps qui serait mieux utilisé à rédiger la réponse négative à la demande d'augmentation des salaires que venait, comme tous les ans, de lui adresser l'intersyndicale. Mais c'était mal connaître Laetitia.

— Écoutez, c'est très intéressant...

— Laissez-moi finir au moins je vous en prie ! Je ne vais pas vous accabler de chiffres...

— C'est très aimable à vous.

— ... Il se trouve que la moitié de l'audience repose sur le présentateur du journal du soir. Ça n'a l'air de rien mais c'est...

— Je crois que je vois où vous voulez en venir. Et d'après vous...

— À mon avis on fait de grands laïus sur les bilans, on va en séminaire à Venise pour analyser les subtilités de l'Audimat, mais tout ça c'est pour en arriver à quoi ? À se faire rouler dans la farine !

— Je vous trouve un peu catégorique..., lâcha Daniel Buté en regrettant aussitôt d'avoir utilisé un mot dont un récent stage de formation lui avait appris qu'il était déconseillé parce que jugé « dévalorisant pour le collaborateur ».

— Franchement, répliqua Laetitia, on se demande qui a le minimum de bon sens dans cette boîte pour regarder sur quoi repose vraiment cette chaîne.

— Comptez-vous parler de cette façon à monsieur Grosvallon quand vous le verrez ?

— C'est qui ?

— Vous le saurez bien assez tôt.

— Pour en revenir à notre conversation, il y a d'autres raisons pour lesquelles il ne faut pas acheter cet truc-là à mon avis...

— Attendez, ne vous emballez pas, tout ça dépasse un peu le cadre de notre entretien. Ce que je vous propose, c'est de remplir un dossier de demande de mobilité interne, et je vous promets de le transmettre avec un avis favorable.

— J'apprécie mais ce que j'aurais voulu...

— C'est impossible dans ce contexte. Le patron de la division a très peu de temps en ce moment. Je lui ferai quand même passer votre dossier, c'est entendu.

L'homme se leva. Debout, il était encore plus impressionnant. Il la raccompagna vers la sortie tout en lui posant une main bienveillante sur l'épaule.

Laetitia marcha comme une somnambule jusqu'à l'ascenseur.

Pourquoi n'avait-il pas cherché à connaître ses motivations ? Au fond, son sort lui importait peu. Mascarade que ces entretiens avec les serpents de la DRH.

Lorsque la porte coulissa, elle comprit qu'elle n'avait aucune envie de retrouver sa cage à lapin avec, au milieu, Sylviane qui allait la harceler de questions. Le bistrot en face du siège de la Compagnie lui sembla un endroit idéal pour finir la matinée. Elle entra dans l'ascenseur et appuya sur la touche zéro. Machinalement, elle tirait sur le collier de perles que lui avait offert son dernier soupirant, fonctionnaire d'un inutile service du ministère de la Culture.

Arrivée dans le vaste hall, Laetitia Rossi se dirigea vers la sortie. En face d'elle un homme franchissait le seuil et jetait des regards de tous côtés. Sans doute un visiteur cherchant à se repérer. Belle allure, pensa-t-elle, avec sa crinière blanche, ses yeux bleus pétillants et sa démarche un peu raide comme celle d'un enfant à qui sa mère avait longtemps répété de se tenir bien droit.

Au moment où elle le croisait, elle agrippa son précieux collier pour se donner une contenance. Tout à coup il y eut un bruit sec et les perles s'échappèrent dans tous les sens. Horrifiée, elle regardait le spectacle.

Elle chercha de l'aide. Un cadre du marketing fila droit devant lui, tête baissée, faisant mine de ne rien voir. Une des hôtesses d'accueil lui fit un signe de la main explicite : elle aurait bien voulu mais le règlement, n'est-ce pas...

— Ne vous inquiétez pas, *Signorina*, on va les retrouver.

Elle se retourna brusquement. Son interlocuteur s'était accroupi et ramassait les perles qui roulaient près de lui.

— Oh je ne veux pas vous embêter, monsieur, s'excusa-t-elle, je vais...

Il se redressa pour la dévisager avec cette insolence des hommes habitués à séduire.

— Chez nous on ne laisse pas une jolie femme dans la difficulté, murmura-t-il.

— Vous êtes trop gentil.

Elle s'approcha de l'extrémité du hall où un grand nombre de perles avaient fini leur course. Au bout de quelques minutes ils avaient tout rassemblé. Il se releva.

— Voici ma petite récolte, *Signorina*, dit-il en la fixant d'un air ambigu.

— Merci beaucoup, vous êtes vraiment très aimable.

Il y eut un bref silence.

— Vous travaillez ici ? demanda-t-il avec un intérêt marqué.

— Oui, c'est ça, bredouilla-t-elle.

— Et vous faites quoi ?

Elle ne put s'empêcher de sourire. Comment décrire ses fonctions ?

— Ce que je fais ? Oh, disons que j'essaye d'éviter à ces messieurs de faire trop de bêtises !

Il éclata d'un rire communicatif.

— Ah bon ? Et c'est beaucoup de travail ?

Malgré son âge, elle le trouvait attirant. Et puis sa façon de s'exprimer dans un français maîtrisé avec cet accent italien chantant lui rappelait de bons souvenirs de lointaines vacances.

— Vous n'imaginez pas. Mes chefs adorent acheter des usines qui ne fonctionnent pas, ou encore surfer sur le Net tout en rachetant des sociétés au bord de la faillite, enfin ce genre de bonnes affaires !

Il semblait sidéré par ce qu'il venait d'entendre. Devant son expression, Laetitia songea qu'elle avait donné une nouvelle fois libre cours à sa légendaire imprudence. Avec son allure hautaine et ses costumes élégants, il ne livrait pas de pizzas. Il avait sans doute rendez-vous avec un cadre de la compagnie. Peut-être même un directeur. Elle sentit la panique l'envahir à cette idée. Elle lui adressa un signe de tête et fit un pas pour s'éloigner.

— *Signorina*, attendez...

— Quoi ? dit-elle en se figeant, hésitant entre l'envie de s'enfuir et celle d'en savoir plus sur cet inconnu un peu trop séduisant.

— Je ne connais même pas votre nom, dit-il avec une nuance de regret dans la voix.

Elle hésita une seconde.

— Blanche-Neige ! *Arrivederci*.

Elle éclata de rire à son tour et se dirigea vers les portes coulissantes de l'hôtel particulier qui abritait le siège de la CGP.

2.

Incidents

À 50 ans, Benoît Chavaignac avait tout pour susciter l'envie. Président depuis une décennie de la Compagnie Générale de Participations, il passait dans les médias pour un manager exemplaire. Implantée à l'origine en Afrique où elle possédait d'immenses domaines, cette société, fondée au XVIIIe siècle en plein cœur de l'Alsace, s'était peu à peu étendue jusqu'à être présente dans des métiers les plus divers. Mines de nickel, bâtiment et travaux publics, traitement des déchets urbains, immobilier, le groupe disposait aussi de filiales qui abritaient des journaux, une agence de presse américaine, un studio de cinéma, une célèbre maison d'édition et, bien sûr, un portail Internet.

Au moment où, deux étages plus bas, Laetitia regagnait son bureau, le président se penchait sur le sien et fixait son interlocuteur.

— Qu'est-ce qui se passe à ton avis ?

Trois jours auparavant, une société russe rachetée par un conglomérat américain venait d'être mise en liquidation à Moscou. En soi l'affaire était insignifiante. Elle avait tout de même déclenché à New York un communiqué du gardien des marchés boursiers, la redoutable SEC. La Securities and Exchange Commission surveillait les grandes entreprises avec une férocité qui n'avait pas encore franchi l'Atlantique.

— Eh bien, c'est la SEC qui a encore foutu le bordel, grogna son interlocuteur confortablement installé dans un siège en cuir conçu pour le groupe par le célèbre designer Philippe Starck.

Camarades de promotion, les deux hommes se connaissaient depuis toujours. L'une des premières décisions de Benoît Chavaignac, lorsqu'il avait accédé à la présidence, avait été d'appeler Pascal Grosvallon à ses côtés. Après un passage peu concluant à la tête de la division BTP, l'éminence grise du président dirigeait maintenant celle qui englobait les médias, Internet et le cinéma.

— Ça je le sais, merci ! Et alors, nous ne sommes pas concernés par cette histoire, non ?

— Théoriquement non...

— Ça veut dire quoi « théoriquement » ?

Son complice baissa la tête. Il semblait hésiter.

— J'attends une réponse rapide. Et précise...

— Dans son foutu communiqué la SEC évoque aussi les groupes implantés dans les ex-républiques soviétiques...

— Ah, ça y est, grommela Chavaignac, l'Ouzbékistan, c'est ça ?

— Voilà.

— Et en quoi...

Un vague souvenir venait de traverser l'esprit du président.

— On n'a pas quelque chose là-bas ?

Pascal Grosvallon poussa un soupir déchirant.

— Une grosse boîte de forage pétrolier qui avait été privatisée par le Parti communiste et qui nous avait été présentée comme une bonne affaire par notre correspondant local.

Le président avait enfin compris.

— Et ça nous coûte combien ce machin ?

— Je ne sais pas, je ne suis plus en charge de...

— Oh, je t'en prie, ne prends pas tes grands airs ! C'est toi qui es à l'origine de ce coup de génie ?

— Non, Ça s'est fait quand j'étais à la division... mais c'était déjà dans les tuyaux. C'était après la chute du Mur, tout le monde disait qu'il fallait y aller. Même en comité de direction...

L'allusion au soutien que le président avait apporté à l'époque à ce choix était claire.

— ... D'ailleurs, poursuivit-il, Maraval était aussi à fond pour.

Pascal Grosvallon laissa à Chavaignac le temps de digérer l'information. L'allusion au directeur financier sembla le détendre.

— Cela dit, il faudra réfléchir à la façon dont on présentera ce dossier au prochain conseil. Signorelli risque de nous emmerder.

— J'y ai pensé, avoua Grosvallon avec un mauvais sourire. J'ai songé à intégrer l'opération dans les nouvelles technologies.

Benoît Chavaignac eut un rictus de protestation.

— C'est un peu gros, non ? Ça n'a aucun rapport !

— Bien entendu, mais après tout, je suis sûr que même en Ouzbékistan ils ont des photocopieuses dans cette boîte. Eh bien, c'est pas de la haute technologie, ça ? En tout cas, personne n'ira regarder de près. On fera passer la perte comme une lettre à la poste dans le rapport d'activité. J'ajouterai une phrase évoquant les déceptions en Russie et tout ira bien. Notre ami ne pourra que se féliciter du trimestre écoulé...

— Pas mal. Autre chose ?

— On avance sur l'opération brésilienne, lâcha d'un ton optimiste son interlocuteur, fasciné par la cicatrice qui traversait la joue du président et lui donnait un air de pirate.

— Et ça donne quoi ?

— Les chiffres sont bons, 14 % de progression annuelle du chiffre d'affaires, 12 % de rentabilité nette.

— Qui fait l'audit ?

— BKMG.

— Sérieux ?

— Dans l'ensemble oui. Ils ont d'ailleurs repéré un sacré bug social.

— Traduction ?

— Des clauses d'indemnités bien supérieures aux pratiques locales. Mais on s'occupe de modifier les contrats de travail en cours.

— Quoi d'autre ?

— Ils ont mis la main sur quelques pépites bien cachées.

— Genre ?

— Des entrepôts en plein cœur de la capitale. Avec le boom actuel de l'immobilier, ça couvrirait déjà 20 % de l'acquisition.

— Bien joué !

— Bien sûr, sur le fond, il y a un problème de personnel.

Le président haussa les sourcils d'un air menaçant.

— Tu sais, en Amérique latine, ils gèrent assez peu cet aspect-là. Le ratio est de huit cent mille francs de chiffre d'affaires par employé...

— Pas fameux.

— Oui. J'ai commandé discrètement un autre audit à un cabinet local. C'est encourageant. Même avec la réforme du droit du Travail en cours là-bas, on devrait pouvoir s'alléger assez vite.

— Conclusion ?

— 35 % d'effectifs en moins en six mois environ.

Le président hocha la tête.

— C'est tout ?

— La routine, pour le reste. Le comité de groupe a été un peu plus tendu que d'habitude mais il paraît qu'avant l'été c'est normal.

— Ils voulaient quoi ?

— Oh, toujours les mêmes choses. Ils nous emmerdent avec la charte.

L'année précédente, la Compagnie avait signé avec les syndicats une charte des droits et devoirs qui comportait une clause prévoyant le reclassement au sein du groupe en cas de licenciement dans une filiale. Le ministre des Affaires sociales avait salué cet accord. Il y avait eu un brillant cock-tail, au siège de la CGP, où les journalistes avaient pu faire semblant de s'informer tout en avalant le maximum de petits-fours en un temps réduit, et une grande interview très visible dans *Le Monde* où le président s'était félicité de la dimension sociale qui imprégnait désormais sa stratégie. Et tout avait continué comme avant.

— Ça s'est bien passé quand même ?

— Oui, Buté a créé un groupe de travail mixte pour évaluer l'application de la charte et proposer des mesures concrètes au prochain CE.

Le président eut un sourire presque enfantin.

— ... Mesures concrètes, ça me plaît... Bon. Donc pas de problèmes de ce côté-là.

— Non, enfin juste une histoire ridicule mais qui ne te concerne pas.

— De quoi s'agit-il ?

— Rien, je t'assure...

La façon dont Benoît Chavaignac le regarda fit perdre contenance une seconde à Grosvallon.

— Comme tu veux. Il s'agit de cette histoire de décoration des bureaux qui revient sur le tapis depuis six mois.

— Et alors ?

— Le personnel, les secrétaires, mais même les cadres, paraît-il, souhaitent pouvoir mettre des objets personnels sur leur bureau, leurs photos de vacances, des affiches, enfin tu vois ce genre de conneries. Or les espaces de travail depuis la réorganisation de l'an dernier doivent être mobiles, et le plus neutres possible. Donc on les avait obligés à enlever leur fourbi. Mais ils sont très remontés sur ce sujet et...

— Il n'en est pas question. On en reste à ce qui avait été décidé.

Pascal Grosvallon se redressa sur son siège.

— C'est ce que je pensais.

— Rien d'autre ?

— Je ne vois pas...

— Et nos petits problèmes juridiques ?

— Ah oui, dit le conseiller dont le front se rida un instant, c'est en cours.

— Ça se présente comment ?

— Il va falloir accélérer un peu les choses.

— Pourquoi ?

— On me dit qu'un des juges qui nous tournent autour aurait l'intention de s'intéresser à nos affaires.

— Mais pourquoi nous ?

Pascal Grosvallon leva les yeux au ciel.

— Tu sais bien comment ça se passe. La magistrature fait une fixation sur le groupe. Ils voient le mal partout. Et puis je ne serais pas étonné qu'il y ait eu une dénonciation.

— Ça viendrait de qui ?

— Je ne sais pas. On doit me donner la liste des cadres qui ont quitté le groupe depuis un an.

— Tu suis ça de près ?

— Oui, d'ailleurs j'ai déjà prévenu notre contact à la banque. Ce dossier est suivi en direct par la direction générale.

— Rappelle-moi la situation.

— Il y a quelques années, on a créé un compte de passage alimenté par nos activités dans l'ex-URSS. On vend beaucoup de musique là-bas et on a des résultats qui sont excellents. Une partie de ce qu'on gagne n'apparaît pas directement et fait un détour par une banque à Moscou.

— À Moscou ?

— Oui, c'est beaucoup mieux que les Bahamas aujourd'hui...

— Et après ?

— Après, dit Grosvallon en faisant la moue, l'argent revient à Paris avant d'être dispatché aux intermédiaires sensibles...

— D'accord.

— ... Et les problèmes commencent ! Parce que ça ferait évidemment mauvais effet sur les marchés si on découvrait une sorte de trésorerie informelle.

— Ça va, j'ai compris ! Alors, on fait quoi ?

— J'ai eu une idée.

— Il y a des risques ?

— Aucun, à mon avis. D'ailleurs, ce sera pour une période très courte.

— Bon, organise ça, et vite.

— Parfait. Rien d'autre à signaler.

— Alors à plus tard.

Pascal Grosvallon se leva. La magie du pouvoir se dissipait. Il allait revenir dans le monde réel. Jusqu'à la prochaine audience présidentielle.

3.

La question

— Qu'est-ce que tu ferais si tu étais milliardaire ?

Laetitia fit semblant de ne pas entendre la question. D'abord se débarrasser de la corvée du mois. Le travail avant le plaisir.

— Mais réponds, tu ferais quoi, insistait Sylviane qui ne lâchait pas prise facilement.

Laetitia jeta un œil aux chiffres qu'elle alignait chaque mois dans d'innombrables colonnes destinées à apaiser des investisseurs de plus en plus âpres au gain à travers le monde. À quoi servaient-ils ? Elle connaissait bien sûr la réponse officielle : motiver les hommes, informer le président, rassurer les actionnaires. Et alimenter la revue interne de l'empire, *In vitro*, qui se faisait chaque semaine l'écho des succès remportés par les équipes du groupe dans les régions du monde les plus reculées. Elle savait aussi ce qu'il y avait derrière cette langue de bois. Des dividendes gras à loisir, destinés aux notables du conseil d'administration. Et les stock-options de Chavaignac et de ses hommes de main.

— Tu achèterais une maison ? Une nouvelle voiture ? Arrête un peu avec tes tableaux, ils ne vont pas s'envoler !

Lorsque sa collègue la pressait ainsi de questions à ses yeux dérisoires, Laetitia rêvait d'un vaste bureau où elle

25

aurait pu se réfugier et réfléchir à un avenir qui lui semblait assez flou. Pour l'instant, après six ans d'ancienneté dans la Compagnie, elle gagnait en tout et pour tout 11 800 francs par mois. Soit 1 835 euros. Pas de quoi faire des excentricités. Et pour arranger les choses, la Société générale venait de lui envoyer une lettre recommandée l'invitant dans un langage fleuri à combler « dans les plus brefs délais » son découvert. Sinon, c'était l'interdiction bancaire. Pour six mille francs. Un an de galère assurée. Et dix ans en cas de récidive. Dix ans ! Salauds de banquiers.

— Tu pourrais enfin déménager...

Maintenant Sylviane commençait à l'énerver. Où voulait-elle en venir ? La seule façon de lui échapper consistait à lui répondre avant qu'elle se transforme en véritable harpie. Elle songea à son entretien de la veille. Le 6 mai. Sainte-Prudence. Amusant. Le DRH avait plutôt eu l'air bien disposé. Mais elle ne se faisait pas d'illusions excessives sur le déroulement de la procédure. Il lui avait fait passer le dossier à remplir. Elle avait peu de temps pour se couler dans le moule de l'employée modèle. Pour monter dans la Compagnie, il fallait déployer un zèle considérable. Montrer qu'on avait faim, comme l'avait dit un jour le président, mi-sérieux, mi-goguenard. Elle n'était pas toujours convaincue d'en être capable.

— C'est quoi être riche pour toi ? l'interrogea Laetitia.

L'autre parut surprise.

— Eh bien, je ne sais pas moi... Cinq cent mille francs, par exemple.

Laetitia réprima un sourire amer. La richesse pour sa voisine de bureau depuis deux ans se réduisait à ce chiffre. Sylviane avait une vie rangée et un mari trop gentil pour donner vraiment satisfaction. Il faisait le missionnaire le samedi soir, et bricolait, le dimanche matin ou le contraire. La Peugeot 306 permettait d'aller une semaine par an en vacances dans les Landes voir sa belle-famille. Le compte d'épargne à la Poste suffisait à élever les deux filles et à s'autoriser quelques petits plaisirs. Heureusement, il y avait son goût des voyantes et des marabouts en tout genre qui absorbaient discrètement une part du budget familial.

— Cinq cent mille francs, ça ne m'intéresse pas...

Sylviane la fixa comme si elle avait mal entendu.

— Qu'est-ce que tu racontes ? Tu as fait un héritage depuis hier ?

— Non je t'assure. Avec ça je me paye quoi ?

— J'en sais rien, mais quand même...

— Des nains de jardin plaqués or, une fermette normande en ruine ? Trois montres Cartier ?

— Hé ! dis donc t'as la folie des grandeurs toi !

Elle avait prononcé sa phrase d'une voix grinçante.

— Pas du tout. Mais pour moi avoir de l'argent ça n'est pas ça.

— Ah bon ! Et c'est quoi alors madame la princesse ?

Comment lui expliquer ? Jeune fille, Laetitia avait eu ses rêves, comme tout le monde. Des pelouses, des jardiniers, d'immenses maisons. Elle adorait la vitesse, les décapotables. Une voiture spectaculaire qui rendrait folles de jalousie les copines. Mais dans sa famille, on surveillait ses dépenses. Son père avait fini sa carrière dans l'armée comme lieutenant. Pas de quoi perdre la tête. Autrefois, elle avait eu une brève aventure avec un homme qui l'avait couverte de cadeaux. Pendant quelques mois, elle avait approché le luxe. Mais elle n'avait pas voulu l'épouser et il était parti se consoler dans les bras d'une héritière. Il n'avait même pas osé l'affronter pour s'expliquer. Disparu comme un voleur. Depuis, elle avait des envies de revanche qui, elle le savait, ne seraient jamais assouvies. Et maintenant il y avait le groupe. Ce groupe avec ses horaires, ses notes de service, sa routine. Cette vie ne lui suffisait plus. Il était temps d'en changer.

4.

Reporting

Laetitia venait d'achever la synthèse, qu'elle aurait dû remettre la veille à Jean-Louis Maraval, lorsque le téléphone sonna. La secrétaire du président s'adressait toujours avec la plus grande délicatesse aux employés des étages inférieurs. Au neuvième, dans le sanctuaire, on cherchait son patron. Laetitia se leva et entra dans le bureau du directeur financier. Personne. Il avait dû sortir par l'autre porte. À moins qu'il ne se soit inscrit à un séminaire – huit mille francs par jour sans garantie de résultat – pour prendre une journée de détente en douce. Elle rappela son interlocutrice. Celle-ci ne la laissa pas finir sa phrase :

— Essayez de le trouver, et vite. Le président descend le voir tout de suite, dit-elle d'une voix déjà moins aimable.

Une sortie au milieu du peuple des vraies gens de la compagnie était chose rare. Laetitia n'en avait vu que deux depuis qu'elle travaillait au siège, dans l'hôtel particulier de l'avenue Mac-Mahon, près de l'Étoile. Aussi large que haut, donnant toujours l'impression qu'on l'empêchait d'agir aussi rapidement qu'il l'aurait souhaité, l'homme ne passait pas inaperçu. Les salariés ne le connaissaient que par la somptueuse lettre bimensuelle qu'ils recevaient chez eux. Cette missive d'une présentation très recherchée avait une particularité : on y parlait peu des grands choix stratégiques mais beaucoup des actions engagées par l'entreprise pour favoriser l'épanouissement des collaborateurs. L'objectif était toujours le même : leur permettre d'atteindre les objectifs qu'ils s'étaient choisis en toute liberté au cours de l'entretien annuel prévu avec leur supérieur hiérarchique. Ses bonnes intentions avaient valu au président le surnom de Sœur Benoît.

— On cherche Jean-Louis ? lui demanda Sylviane, intéressée par cette distraction inattendue.

— Oui, et je n'ai pas la moindre idée de l'endroit où il se trouve.

— Tu n'as qu'à interroger son badge.

— C'est vrai, je n'y avais pas pensé.

Laetitia cliqua sur le fichier « localisation ». Dans quelques secondes, si le directeur financier l'avait avec lui, le badge allait clignoter sur l'écran et dévoiler la pièce où il se trouvait.

Tout à coup les deux secrétaires entendirent du bruit. Trois ou quatre personnes au moins se dirigeaient dans leur direction. La garde rapprochée. On ne comprenait pas ce qu'elles se disaient mais la conversation paraissait tendue.

— Mais où est passé Maraval, bon sang ! Jamais là quand on a besoin de lui celui-là...

— Il ne doit pas être très loin, monsieur le Président..., répondait d'un ton doucereux une voix inconnue.

Chavaignac fit irruption dans la pièce. Il passa devant Sylviane et Laetitia sans leur jeter un regard et pénétra dans le bureau du directeur financier.

— Alors où est-il cet abruti ? Il va falloir qu'il s'explique...

Trois courtisans de haut rang suivaient un peu en retrait. Manifestement ils hésitaient entre leur envie de charger leur collègue et la crainte que la colère du grand homme ne leur retombe dessus.

— C'est quand même incroyable, dit-il en élevant la voix, qu'on prenne des décisions de ce genre dans mon dos ! Si je n'avais pas posé de questions, personne ne m'aurait parlé de ce merdier ! Et quand je demande le reporting du mois on me répond qu'il n'est pas arrivé ! C'est hallucinant, la façon dont fonctionne cette boîte...

On entendait des chuchotements dans les couloirs. La nouvelle de la visite-surprise du président s'était répandue. Celui-ci était revenu dans le bureau du secrétariat. Plus Laetitia entendait ses imprécations et plus elle avait mauvaise conscience. La conversation oiseuse de la veille autour de ces cinq cent mille francs qui n'arriveraient jamais s'était prolongée. Finalement, elle n'avait pas eu le courage de terminer le tableau et avait remis cette tâche – qui n'avait rien d'urgent – au lendemain. En général Maraval gardait deux ou trois jours le précieux document avant de le transmettre au neuvième étage. D'ailleurs il ne lui en avait même pas parlé la veille. Mais elle se sentait coupable. Elle n'éprouvait aucune estime particulière pour son supérieur mais ne voulait pas lui nuire, même indirectement.

— Excusez-moi, monsieur le Président...

Interpellé, celui-ci se retourna, surpris.

— ...J'aurais dû donner à monsieur Maraval les tableaux du reporting Étranger hier soir, mais j'ai été prise par le temps...

Laetitia baissa la tête d'un air confus.

— ...et il ne les a donc que depuis ce matin sur son bureau.

L'homme que le mensuel *Capital* avait appelé six mois auparavant « Le grand mégalo » – fine allusion au rythme forcené d'acquisitions conduit par la Compagnie sous son règne – la dévisagea sans tendresse particulière.

— Voilà au moins une explication, dit-il en marmonnant. Un abruti entouré d'incapables...

Laetitia sursauta comme si un frelon venait de la piquer.

— Écoutez monsieur le Président, je suis désolée...

Son interlocuteur grommela tout à coup entre ses dents.

— C'est ça le reporting ?

Il venait de s'emparer du fameux rapport.

— Oui monsieur le Président.

— Alors qu'est-ce qu'il raconte sur nos engagements dans ce foutu pays... Kazakhstan, Malaisie, Thaïlande... mais Pascal, c'est où l'Ouzbékistan dans ce bordel ?

Le conseiller spécial de la présidence essaya de prendre le document des mains de Chavaignac mais celui-ci ne le lâchait pas.

— C'est classé comment, ce truc ?

— Si je peux vous aider, monsieur le Président..., glissa d'une voix servile un sbire que Laetitia n'avait encore jamais vu.

— Foutez-moi la paix, je suis encore capable de lire tout seul... Ah voilà ! Alors deux cents millions d'investissements... mais c'est en quoi ? En dollars ? En euros ?

— En euros, Benoît, répondit Grosvallon, manifestement soucieux de corriger l'effet fâcheux de sa précédente intervention.

— Excusez-moi, monsieur, glissa Laetitia sur un ton déférent, je crois que pour les zones non européennes la monnaie de référence est le dollar.

Pascal Grosvallon la regarda avec une fureur qu'il ne chercha pas à dissimuler.

— C'est vrai ça ? demanda le président en se tournant vers ses acolytes.

— Elle ne sait pas lire les tableaux, c'est tout.

Le conseiller se pencha au-dessus de l'épaule de Laetitia qui se redressa d'un air outragé.

— Je sais d'autant mieux les lire que c'est moi qui les fais chaque mois, figurez-vous !

— Avec tes connaissances en informatique on est mal barrés, enchaîna Chavaignac sarcastique.

Le directeur de la division Médias-Internet fixa la secrétaire avec mépris. Cette fille oubliait un peu trop le minimum de courtoisie que la CGP attendait de ses collaborateurs.

Les membres de la garde rapprochée échangèrent un regard dont la signification ne pouvait échapper à personne : « Faut-il vraiment lui répondre ? » Finalement le plus corpulent se décida.

— Euh, je crois qu'elle a raison, c'est en dollars. L'erreur de Pascal s'explique...

Un geste de la main du président l'incita à suspendre sa tentative de sauvetage. Le malheureux Grosvallon était devenu tout à fait pâle.

— Je devrais me balader plus souvent dans les couloirs. J'ai l'impression que certaines secrétaires en savent plus que les directeurs.

Sur ces paroles lourdes de menaces, le président, sans ajouter un mot, tourna le dos à Sylviane et à Laetitia et repartit d'un pas rapide en direction de son ascenseur personnel. Pascal Grosvallon qui le suivait comme son ombre passa devant le bureau de Laetitia. Il s'arrêta une seconde devant elle.

— Vous aimez vous faire remarquer, on dirait ?

— Pas du tout, mais je réponds quand on m'attaque.

— Vous avez failli mettre un bug dans ma relation avec le président.

— Je ne crois pas que monsieur Chavaignac ait attaché autant d'importance que vous semblez le penser à cette conversation, murmura Laetitia.

— Je vous dispense de vos commentaires, rétorqua Grosvallon en tournant les talons.

5.

Le virement

— Mais vous êtes idiote ou quoi ?

La scène avait commencé dès qu'il était entré dans leur bureau. Habituée aux crises de nerfs, Sylviane restait d'autant plus facilement de marbre que les reproches du directeur financier ne lui étaient pas destinés.

— Vous devriez surveiller votre langage, Jean-Louis, répondit Laetitia avec une autorité qui surprit son amie.

— Excusez-moi mais vous vous rendez compte de ce que vous avez fait ?

— Je vous explique qu'il exigeait ce rapport et...

— Mais il ne fallait pas le lui donner c'est tout !

— C'est quand même...

— ... le président. Figurez-vous que je le sais autant que vous ! Et alors ? Tout doit passer par moi, vous ne pouvez pas comprendre ça ? C'est pourtant simple non !

— Donc je devais lui dire : « Écoutez, monsieur le Président, monsieur Maraval ne m'a pas autorisée à... »

— Arrêtez de faire l'imbécile ! Vous savez très bien comment on s'y prend pour les faire lanterner. En plus ce rapport je ne l'avais même pas relu... »

— Vous l'aviez corrigé déjà deux fois !

Son supérieur eut tout à coup un air las.

— Oui, mais pas cette foutue affaire ouzbek ! Je devais étaler notre investissement sur dix ans.

Laetitia soupira : toujours les petites combines du groupe.

— Je suis très impliqué dans cette histoire russe. J'ai toujours dit qu'on lèverait facilement les capitaux pour financer notre installation. Et puis il y a eu le mini-krach allemand et on s'est retrouvés à poil...

Maraval avait changé de ton. Laetitia savait qu'il n'aurait pas refusé une aventure avec elle. Son sourire coquin lui valait une réputation, excessive à ses yeux, d'aguicheuse. Tout à coup elle comprit que cette affaire le mettait en danger. Elle réfléchissait à ce qui l'attendait lorsqu'on entendit la voix timide de Sylviane :

— Excusez-moi, c'est peut-être absurde... mais puisqu'il y a un trou si je comprends bien... si vous faisiez une augmentation de capital ? Je veux dire juste notre filiale qui travaille dans les ex-pays de l'Est. Et les banques et les autres souscriraient.

— Vous croyez que je n'y ai pas pensé ? répliqua Maraval qui parut surpris par la remarque. Malheureusement, on les a déjà payés en monnaie de singe au Guatemala et en Thaïlande avec du papier garanti par la Compagnie. Enfin, en théorie. On a récolté des centaines de millions. Et dans deux pays où il n'y a presque pas d'épargne ! Tout ça est parti en fumée bien sûr. Mais ceux qui se sont fait plumer en ont gros sur le cœur et ça a fini par se savoir. Alors maintenant on ne peut plus utiliser ce truc que pour de très gros coups...

— Bonjour, Jean-Louis.

Maraval se retourna brusquement. Il s'assombrit en apercevant Daniel Buté.

— Je peux vous voir une seconde ?

Maraval acquiesça d'un signe de tête et se dirigea vers son bureau, suivi par le visiteur, attentif à paraître détendu selon son habitude.

— Tu sais quoi ? dit Laetitia à sa collègue après avoir vu la porte se refermer.

— Non.

— Je crois que ça va chauffer pour moi.

— Qu'est-ce que tu racontes ?

Laetitia, tout en parlant, ouvrait son courrier. Elle avait oublié de le lire dans le bus qui l'avait déposée le matin avenue Mac-Mahon.

— Objectivement, je me suis plantée, avec ce rapport...

— Tu rigoles ? Depuis quand c'est une question de minutes ? La date limite n'est que dans une semaine.

— C'est vrai mais je l'ai donné au président.

— Et alors ? Tu as eu raison de te défendre. Tu n'allais quand même pas lui faire un bras d'honneur !

Laetitia se raidit brusquement.

— Qu'est-ce qui se passe ? Une mauvaise nouvelle ? l'interrogea sa collègue, pleine de sollicitude après les événements de la matinée.

— Non, pas vraiment, répliqua Laetitia avec un sourire désabusé.

Sylviane s'apprêtait à revenir à la charge lorsqu'on entendit des éclats de voix provenant du bureau. Brusquement, Jean-Louis Maraval ouvrit la porte. Daniel Buté passait devant lui sans le quitter des yeux comme s'il craignait un vilain geste.

— Filez voir Benoît, mon vieux, et dites-lui d'avoir le courage de transmettre lui-même ses messages ! Quelle boîte, bon sang, quand je pense à tout ce que j'ai fait pour eux !

37

L'adjoint du DRH jeta un œil désabusé en direction des deux secrétaires et quitta la pièce sans prononcer une parole. Maraval claqua sa porte avec une violence inhabituelle dans l'univers si feutré de la compagnie.

— J'ai l'impression que Jean-Louis est mal barré, dit Sylviane avec philosophie. Alors qu'est-ce que tu disais ? C'est quoi, cette lettre ?

— Ma banque s'est trompée.

— En ta faveur ?

— Si on veut.

Sa complice avait peu de goût pour les énigmes.

— Quel genre d'erreur ? dit-elle d'un ton impatient.

— Ils m'ont créditée d'une grosse somme.

— Grosse comment ?

Cette fois Laetitia éclata de rire avant de lui répondre.

— Grosse jusqu'à 600 millions !

Sylviane resta interloquée une seconde.

— Allez, arrête de me raconter des histoires ! Sérieusement, tu crois que Jean-Louis va sauter ?

6.

Une franche explication

— Alors, en définitive, on a perdu combien dans cette histoire ?

Maraval sentait la sueur dégouliner sur son front. Mais impossible de faire le moindre geste sans apparaître encore plus affolé qu'il ne l'était déjà. La visite du coupeur de têtes en mission avait été suivie un quart d'heure plus tard d'un appel comminatoire de la secrétaire de Chavaignac : le directeur financier devait monter au neuvième étage où on l'attendait avec impatience.

— Comme je viens de vous le dire, notre perte est de deux cents millions de dollars, reprit-il en adoptant un ton conquérant, auxquels il faut ajouter cent millions d'obligations en euros levées à Francfort.

— C'est-à-dire ?

Contrairement aux usages, le président, si convivial dès qu'un photographe apparaissait dans son champ visuel, n'avait pas invité son collaborateur à s'asseoir. Depuis dix minutes, celui-ci parlait donc debout. Il eut brusquement l'impression que ses jambes allaient le lâcher. Il regrettait le singe savant de la DRH, fourbe mais finalement bien élevé.

— Trois cent dix millions d'euros en comptant les frais financiers, soit deux milliards trois cent trente-quatre millions de francs.

Le président eut une mauvaise grimace.

— Ah, Maraval, vous ne vous habituerez jamais à l'euro hein ! Vous avez toujours besoin de convertir en francs.

— Pas du tout, mais vous nous aviez dit...

— Ce n'est pas grave, c'est une question de génération sans doute.

Un sentiment de rage envahit Maraval qui vacilla une seconde. À 58 ans, celui-ci avait tout juste quelques années de plus que le PDG. Mais cette remarque était sans doute destinée à lui faire perdre son calme.

Il n'allait pas lui donner ce plaisir.

— Bon, murmura le président d'une voix un peu trop onctueuse, il va de soi, mon cher Maraval, qu'il nous faut tirer les conséquences de vos choix... disons aventureux.

Nous y voilà, pensa l'intéressé. La visite du rédacteur de la charte de déontologie du groupe lui avait laissé entrevoir cette issue. Mais maintenant il savait, après qu'on l'eut laissé griller à petit feu, de quoi il retournait. Il avait au moins eu le temps de se préparer pendant ce délai de grâce.

— Je me permets de vous signaler, monsieur le Président, que s'il est exact que j'ai appuyé le choix de racheter l'usine de Vladivostok, je n'étais pas le seul et...

— Non Maraval, l'interrompit son interlocuteur d'un air désolé, non, pas ça, et pas vous. Le rapport était signé par vous.

— Pardon de vous couper, monsieur le Président, mais ce rapport, comme vous dites, cette note de deux pages plus précisément, était la synthèse de la décision du comité de direction.

Benoît Chavaignac paraissait de plus en plus navré.

— Allez, ne faites pas l'enfant, vous êtes en charge de cette désastreuse affaire depuis le début. C'est vous qui évoquiez le dossier en comité et...

— Ce n'est pas tout à fait juste, Pascal avait fait deux communications sur le sujet et en disant clairement de surcroît qu'à son avis nous étions trop timides et que la division devait se développer dans les pays émergents et...

— Ça suffit ! Vous entendez ?

Son interlocuteur montrait les dents maintenant. Faisait-il semblant d'exploser ? Non. Il était simplement hors de question de toucher à son protégé, au confident de quinze ans d'intrigues pour accéder au pouvoir suprême.

— J'essayais seulement...

— Vous me décevez, Maraval, je croyais que vous étiez un élément de valeur et voilà que vous fuyez vos responsabilités. Ce fiasco menace nos résultats cette année, est-ce que vous vous en rendez compte au moins ?

— Les analystes ont vu pire.

— Qu'est-ce que vous racontez ? dit Chavaignac qui devenait nerveux et élevait la voix. Pour eux, la CGP est une valeur sûre, de fond de portefeuille, nous allons être contraints de faire un avertissement sur nos résultats et...

— Vous voulez dire un profit-warning, monsieur le Président ?

L'autre fronça les sourcils qu'il avait épais.

— Je ne crois pas que ce soit le jour de faire de l'humour.

— J'essayais juste d'appliquer notre récente directive sur le code sémantique du groupe. Quant aux réactions des marchés, je pense qu'elles s'expliquent plus par l'abandon des métiers historiques de la compagnie que par la perspective de perdre trois francs là où tout le monde a laissé sa chemise.

Chavaignac était maintenant hors de lui.

— Ça suffit comme ça. Je crois qu'on vous a fait une proposition sérieuse.

Maraval n'écoutait plus. Il comptait. Combien coûtait un douze-mètres, avec l'accastillage, les voiles, les instruments et le reste ? Un million ? Combien lui fallait-il pour vivre décemment avant de prendre sa retraite ? Combien valait le tas de petits secrets accumulés en vingt ans de carrière ?

— Vous répondez, Maraval ?

— Oui, monsieur le Président.

— Alors ?

— Alors quoi, monsieur le Président ?

— Vous vous foutez de moi en plus ?

— En plus de quoi, monsieur le Président ?

Le PDG se leva.

— Je crois que nous n'avons plus grand-chose à nous dire.

— Mais je crois que si, asseyez-vous, monsieur le Président, je n'en ai que pour une seconde...

Après avoir hésité, celui-ci obtempéra. Il ne reconnaissait plus le directeur choisi autrefois pour sa docilité et son amabilité.

— Je ne crois pas que la parution d'informations sur la manière dont nous présentons nos comptes ferait un bon effet sur les marchés que vous soignez par ailleurs avec tant d'attention. Le fait que nous ayons à peine provisionné l'aventure en Ouzbékistan, conformément aux désirs de Pascal, est un facteur de risque évident...

— Du chantage, Maraval ?

— Qu'est-ce que vous allez chercher là, monsieur le Président, j'essaye seulement de vous expliquer à quel point tous les investisseurs sont nerveux en ce moment. Et puis, il y a ces mouvements financiers qui peuvent parfois être difficiles à expliquer. Tenez, je suis tombé très récemment par hasard sur un curieux transfert provenant de notre filiale russe vers Paris et ensuite...

Son interlocuteur avait changé de couleur. Son visage était congestionné de fureur. Il garda cependant son calme lorsqu'il reprit la parole.

— Combien ?

— Disons douze millions, monsieur le Président, si ce chiffre ne vous paraît pas excessif.

— Il me semble que...

Maraval fit un geste calme pour signifier sa détermination.

— Excusez-moi mais ce chiffre n'est pas négociable.

— C'est du racket, Maraval !

— Appelez ça comme vous voudrez, monsieur le Président.

— Arrêtez de m'appeler comme ça, mon vieux !

— Comme vous voudrez, monsieur le Président.

— D'accord mais dans une heure vous êtes parti.

— Bien volontiers.

Le directeur s'apprêtait à prendre congé.

— Ah, un dernier détail.

— Oui ?

— Avant de quitter le groupe, vous réglez la question de votre équipe bien sûr...

— Pardon ?

Le PDG eut un large sourire.

— Je vous dis qu'à ce prix-là vous vous occupez des questions d'intendance. La direction sera entièrement réorganisée après votre départ et il convient que vous fassiez le ménage avant. Nous sommes d'accord ?

La Secrétaire

Le ton de la voix ne laissait aucun doute. Le deal était à prendre ou à laisser. Difficile au neuvième étage d'avoir le beurre et la crémière à la fois. Maraval se sentit accablé par cette humiliation. Tout le monde saurait qu'il partait avec un joli magot. Mais aussi qu'il avait coupé des têtes étrangères à cette affaire et touché le salaire de cette sale besogne.

C'est voûté et sans un mot que le directeur financier quitta l'immense bureau.

7.

L'idée

Rien de mieux qu'un Pina Colada dans ce genre de situation. Ou même, encore mieux, deux. Laetitia, qui descendait sans peine une bouteille d'un bon bordeaux par jour, n'arrivait pas à se concentrer. Elle était préoccupée par l'erreur de sa banque. Après avoir essayé à deux reprises de joindre le responsable de son compte, elle avait renoncé. Son poste était toujours occupé. Le lendemain à la première heure, elle les appellerait. On savait de quoi étaient capables les banquiers. Ils pouvaient lui reprocher de ne pas avoir réagi assez vite, ou même d'être complice d'une escroquerie. Ou n'importe quoi d'autre. Elle avait assez de problèmes comme ça en ce moment. Elle avait envisagé de demander conseil à Maraval, avant d'y renoncer. Elle devinait qu'il n'était plus l'homme de la situation.

Elle regretta d'avoir accepté de sortir. Aller à ce dîner où elle ne connaissait personne relevait de l'idiotie. Les mondanités l'ennuyaient à mourir. Pourtant, elle aimait bien cet ancien collègue rencontré lorsqu'elle était entrée dans le groupe. Ils avaient déjeuné ensemble quinze jours avant et il lui avait proposé de l'accompagner à cette soirée. Elle avait accepté sans hésitation sur le moment. Le souvenir du directeur financier regagnant son bureau après sa visite

45

au neuvième étage lui revint à l'esprit. Maraval avait joué au matamore. « Ça y est, je prends enfin congé de ces fous furieux... Vingt-deux ans dans cette boîte c'était trop... Un coin de soleil, un bateau, qu'est-ce qu'on peut espérer de plus... » Sylviane avait fini par lui poser d'une petite voix la question. Il s'était voulu rassurant : « Pensez-vous ! Vous n'y êtes pour rien... Aucun changement prévu... Vous pouvez dormir tranquilles... » C'est cette dernière phrase qui l'avait inquiétée. Il en faisait trop. Bien sûr, ils n'avaient pas décidé de les virer. Elles n'y étaient pour rien. Ni elle, ni Sylviane, ni les autres : le directeur-adjoint, le chargé de la trésorerie, celui de l'informatique et la vingtaine d'employés occupés toute la journée à classer les fax en provenance du monde entier. D'ailleurs pourquoi auraient-ils fait ça ? Mais elle ne se sentait quand même pas tout à fait rassurée.

— À quoi tu penses ? tu as l'air bien absorbée.

Son collègue de la direction du marketing lui avait posé la question en souriant. Confiant dans l'avenir, sans état d'âme sur la Compagnie. Il en avait de la chance. Elle se leva et l'embrassa en s'excusant. On n'y voyait rien dans ces bars d'hôtel. Sa journée ? Excellente. Pas de problèmes ? Vraiment pas ? Non, pas du tout. Il était temps d'y aller. Laetitia le regarda. Il avait l'air si content de la présenter à ses amis. Pas le courage de le décevoir. Il fixait avec un peu trop d'insistance le décolleté de sa robe rouge, dénichée un jour où elle traînait dans un dépôt-vente, en quête d'un chemisier en dentelle à l'ancienne qu'elle n'avait jamais trouvé.

Pendant le trajet il lui décrivit les invités. Deux couples, dont un en voie d'explosion, et deux électrons libres. Et eux. Boulevard Richard-Lenoir. La Bastille. Un quartier inévitable pour des artistes, lui peintre, elle scénariste. Fauchés mais branchés. Dans un couloir qui ressemblait à un coupe-gorge, ils sonnèrent à l'interphone. Cinquième étage. Une jeune femme qui n'avait pas vu de coiffeur depuis longtemps les accueillit avec une chaleur qui paraissait sincère. Au bout de quelques minutes, la conversation était lancée.

— Mais c'est évident...

— Pas du tout, c'est l'Élysée qui a profité de la crise...

— Tu plaisantes ? La droite n'a pas arrêté de faire des conneries depuis...

Le début du repas fut laborieux. Laetitia se demandait ce qu'elle faisait là. Ces échanges où chacun répétait comme un perroquet ce qu'il venait de lire dans son journal lui semblaient dépourvus d'intérêt. Le ton, pourtant, montait. Comment pouvait-on se passionner pour ces gens qui nous volaient en toute impunité depuis si longtemps, songeait-elle tout en réfléchissant au moyen de prendre la fuite au plus vite. Elle eut tout à coup l'impression qu'on lui parlait.

— Vous m'entendez ?

Elle se retourna. On avait placé à sa droite le célibataire de la soirée. Pas très beau. Mais un regard intense. Quel était son prénom déjà ?

— Excusez-moi j'étais...

— Loin d'ici apparemment.

— En quelque sorte, dit-elle en le dévisageant à son tour.

— Je vous demandais ce que vous faisiez dans la vie.

— Je suis assistante de direction. Autrement dit une secrétaire un peu mieux payée que les autres, en théorie, ce qui permet de se faire engueuler un peu plus souvent.

— C'est drôle comme définition, dit-il en souriant. Mais j'espère que ces messieurs n'en abusent pas.

47

Elle pensa à l'ambiance qui régnait dans le groupe et à son avenir brumeux depuis quelques heures. À la tête coupée du pauvre Jean-Louis, à l'ignoble sourire de ce Grosvallon qui semblait à la hauteur de sa réputation, à ce fantôme de Buté, préposé aux basses œuvres dès lors qu'on les enrobait d'un discours mielleux.

— Quelquefois si, répliqua-t-elle avec une lassitude dans la voix qui parut le toucher.

— Et ces messieurs, comme vous dites, travaillent où ?

— À la Compagnie Générale de Participations...

— Je connais, dit-il d'une voix suave qu'il accompagna d'une curieuse grimace.

Il se redressa, l'air inspiré. Le prénom de son voisin de table lui revint : Jérôme.

— *Veni, Vidi, Vici* ou si vous préférez *Venidi, Vidi, Vici...*

— Désolée, je ne suis pas très forte en latin.

— Je suis venu, j'ai vu, j'ai vaincu. C'est ce qu'a dit César au lendemain de la guerre en Gaule. Leur nom se prête bien aux jeux de mots... Enfin leur ancien nom puisqu'ils ont encore changé. Je n'aime pas leur nouveau sigle, CGP, ça fait cheap.

— Vous les connaissez bien ?

Il regarda à travers elle une seconde avant de continuer.

— À titre personnel pas vraiment. À titre professionnel un peu.

Elle l'interrogea du regard.

— Le groupe est un client de la banque où je suis. Un assez gros client.

— Et vous êtes ?

— À la BNP, adjoint du directeur chargé de la gestion privée.

— C'est quoi ça ?

— Les grosses fortunes.

— Beau poste.

— Oui, mais le jour où le type au-dessus de moi en a marre...

Il simula un étranglement.

— Je comprends, dit-elle.

Il y eut un silence. Chacun cherchait un autre sujet de conversation. Elle passait en revue ce qu'elle avait lu, vu au cinéma ces dernières semaines. Il devait faire la même chose. Une gêne s'installa entre eux. Il lui plaisait pourtant. Quelque chose en lui de décontracté l'attirait. Elle se rappela tout à coup qu'elle était venue accompagnée. Délicat de repartir avec lui ce soir sans offenser gravement son ancien collègue.

— Dites-moi, Jérôme, si je peux me permettre...

— Évidemment, Laetitia.

— Vous recevez un jour un relevé de votre banque selon lequel vous disposez de 600 millions sur votre compte.

Il éclata de rire.

— Eh bien je suis content !

— Non. Sérieusement...

— Qu'est-ce que vous voulez que je vous dise ? J'ai touché le jackpot, je leur fais un bras d'honneur et je vais à la pêche au gros !

— Mais si cet argent ne vous appartient pas ?

— Alors il faudra le prouver, dit-il avec un sourire qui traduisait une grande confiance en lui.

Elle fit une grimace.

— Facile. On montre sans difficulté qu'il n'y a eu ni virement ni chèque versé, et on prouve l'erreur de l'informatique. Comment vous sortez-vous de ça, monsieur le banquier ?

Son voisin hocha la tête mais parut peu convaincu.

— Pour éviter que l'argent revienne de là où il est parti, c'est-à-dire en réalité de nulle part s'il y a vraiment eu une défaillance, dit-il d'un air savant, il faut prendre une décision.

Laetitia commençait à trouver la conversation intéressante.

— Ah oui, et laquelle ?

— Ah, dit-il d'un air malicieux, vous aimeriez bien le savoir...

— Je l'avoue.

Elle lui jeta un coup d'œil curieux. Pour Laetitia, les hommes se répartissaient en trois catégories. Il y avait les sponsors qui finançaient. Les beaux esprits chargés de la distraire. Et ceux qu'elle appelait ses « quatre-heures », plus spécialisés. Dans quelle case entrait-il celui-là ?

— Admettons que je vous donne mon idée, murmura-t-il d'un ton de conspirateur, qu'est-ce que j'y gagne, moi ?

Elle baissa la tête comme si elle était intimidée. C'était un vieux truc mais qui marchait toujours.

— Disons... un dîner.

— C'est d'accord, dit-il d'une voix triomphante.

— Ne me faites pas languir.

— C'est tout simple : vous transférez l'argent dans une autre banque.

Elle eut l'air déçu.

— C'est aussi simple que ça ?

— Attendez, d'abord les idées les plus simples sont souvent les meilleures. Ensuite ça n'est pas gagné d'avance. Normalement à ce stade il y a des procédures de vérification, et ça doit être signé par un responsable.

— Donc ça ne marchera jamais.

— Ne soyez pas si impatiente, dit-il en la sermonnant d'un doigt. Je vais vous donner une petite astuce. Vous êtes où ?

— À la Société générale.

— Bien.

— Ça veut dire quoi ?

— Et mon dîner ?

Laetitia eut un geste d'irritation.

— Ne soyez pas méfiant, ce qui est dit est dit.

— Vous passez votre ordre... on est quel jour aujourd'hui ?

— Jeudi.

— Bien. Le vendredi, les banques ferment encore plus tôt, vers 16 h 30. Donc, ce jour-là, vous envoyez un fax très urgent en exigeant que l'ordre soit passé avant la fermeture, par exemple vers 16 heures. À cette heure-là, tout le monde a presque son manteau sur le dos, le compte à rebours de la libération des esclaves est engagé... Si vous pouvez vous vous renseignez même sur le nom du supérieur de votre gestionnaire de compte et vous vous assurez qu'il n'est pas là...

— Pas mal.

— Mais ce n'est pas tout.

— Quoi encore ?

— La deuxième astuce...

— Décidément, on dirait que vous avez fait ça toute votre vie !

— ... c'est de ne pas mentionner le chiffre de 600 millions...

— Parce que ça attirerait l'attention.

— Vous commencez à comprendre, c'est bien. Donc le fax mentionne le numéro du compte et indique seulement de transférer la totalité de son contenu à la banque Machin. Avec un peu de chance, l'employé fera l'opération sans faire attention et le tour est joué !

— Mais qu'est-ce qui empêche la première banque, celle qui a fait l'erreur, de contester l'opération après le transfert ?

— Rien.

— Alors quel intérêt ?

— Il faut connaître la mentalité des banquiers, de la base au sommet. En réalité, ces sommes qu'ils manient leur font peur. Toute la journée, ils se couvrent. Cette situation pour eux c'est la catastrophe absolue !

— Autrement dit, continua-t-elle, ils essayeront de discuter avant de déclencher la guerre.

— Exactement. De toute façon ce qu'il faut bien comprendre, c'est que dès lors que l'argent est dans la banque Machin, celle-ci ne peut pas le rendre comme ça. Si le client dit que c'est le sien et menace de faire un scandale, elle doit enquêter. Sinon, ce serait une sacrée entorse à la déontologie. Si le client est apparemment de bonne foi et qu'il se protège en mettant en garde l'établissement, il n'y a qu'un tribunal qui puisse décider de bloquer ou non le compte...

— ...démarche que la banque fautive hésitera à engager.

— C'est cela. Si on récapitule, il y a donc quatre scénarios. Le premier c'est le plus mauvais, le transfert n'a pas lieu. Le deuxième, c'est que l'argent arrive ailleurs mais que la nouvelle banque décide d'autorité, en prenant des libertés avec les règles, de le geler ou de le rendre. Le troisième c'est que le transfert se déroule sans problème et que personne ne se rende compte de l'existence d'une erreur. C'est évidemment l'idéal. Et puis il y en a un quatrième...

— Lequel ? interrogea Laetitia chez qui cette démonstration provoquait une réflexion de plus en plus intense.

— C'est que le transfert fonctionne mais qu'il faille quand même rendre l'argent.

— En quoi diffère-t-il du... du deuxième, c'est ça ?

— La différence tient à un petit détail. Je peux te tutoyer ?

— Oui, bien sûr.

— À ton avis, Laetitia, 600 millions placés à un taux usuel, disons 10 %, ça rapporte combien en un mois ?

— Je ne sais pas.

— Six millions de francs, disons un peu plus de quatre millions et demi après l'imposition fiscale forfaitaire et les frais.

— Et sur cette somme on peut peut-être discuter, dit-elle avec une grimace de la bouche assez expressive.

— Tu as tout compris. Et personne n'est directement lésé sauf évidemment celui qui avait l'argent au départ ! En tout cas, avec un bon cabinet d'avocats spécialisés, il y en a une dizaine à Paris, l'affaire est jouable.

— Tout ça est très intéressant.

Son interlocuteur regarda Laetitia avec un certain étonnement.

— Au fait, c'est une discussion en l'air ou...

— J'aime bien tirer des plans sur la comète, c'est tout. Qu'est-ce que tu allais imaginer ?

8.

Sacrifices humains

En poussant la porte de son bureau, le vendredi matin, Laetitia entendit des sanglots étouffés. Sylviane, habituellement si enjouée, pleurait. Elle éprouva un choc.

— Que se passe-t-il ?

Sa collègue essayait de retrouver son calme. Elle prononça quelques paroles incompréhensibles avant de s'effondrer. Laetitia s'approcha d'elle et lui glissa affectueusement un bras autour des épaules.

— Il est passé tout à l'heure, finit par articuler Sylviane entre deux sanglots, et il m'a convoquée dans son bureau à 2 heures et...

Une nouvelle crise de larmes l'emportait.

— Mais de quoi parles-tu ? dit Laetitia qui craignait d'avoir deviné.

— Tu sais bien, ce vicieux de Buté... Tu crois qu'il y a encore une chance ? Mais pourquoi moi ? Qu'est-ce que j'ai fait de mal ? J'y peux quelque chose si cet imbécile, dit-elle en désignant du doigt vengeur le bureau de Maraval, nous a plantés avec ses investissements foireux ?

La grande famille de la Compagnie avait du plomb dans l'aile. Pas de quartier au neuvième étage, songea-t-elle avec amertume. Faites un peu de place pour les civières, regardez-les, messieurs les analystes, ces braves tombés au champ d'honneur. Car ces innocentes victimes vont nous permettre de redresser notre marge qui passera de 8,2 à 8,6 dès le trimestre prochain.

Un jour elle leur revaudrait ces douceurs, et avec les intérêts. C'était le moment ou jamais de prendre des nouvelles de son petit trésor. Elle alluma son ordinateur en se rappelant le pronostic de Jérôme : « Si une erreur n'est pas corrigée dans la journée, il y a 90 % de chances qu'elle soit avalisée par le système. » Il en mettait un temps à s'allumer cet écran. Enfin ! La connexion était établie. Elle chercha le site de sa banque et pianota son numéro de compte.

— Qu'est-ce que tu fais ? Tu n'as pas peur toi ?

Il est corse ou quoi cet ordinateur ? songeait Laetitia qui avait encore un vieil oncle nationaliste dans l'île. Ah ! voilà, nom, prénom, l'agence...

— Je te signale, dit Sylviane d'une voix grinçante, que le chauve a demandé que tu le rappelles dès ton arrivée.

Mes opérations du mois, vite, vite ! En bas de la colonne Crédit... 599 988 000. Elle ferma les yeux. Le miracle s'était produit. La somme avait fondu un peu à cause de deux gros chèques, l'un pour la réparation de sa voiture et l'autre pour le plombier qui venait de refaire la tuyauterie. Mais le destin ne l'avait pas abandonnée. L'argent du bonheur dormait toujours sur son compte. Elle regarda Sylviane d'un air attendri.

— Écoute, ne t'en fais pas trop, ma situation s'améliore pas mal en ce moment...

— Tu as bien de la chance, répliqua son amie, exaspérée par son calme, je suis contente qu'un licenciement ne te fasse pas plus d'effet... Moi, figure-toi qu'à mon âge, je risque de ne jamais rien retrouver.

Depuis la veille, Laetitia savait qu'elle allait tenter le coup. Mais elle ne pouvait en parler à personne. Même à Sylviane qui, malgré ses promesses, risquait de ne pas tenir sa langue.

À cet instant quelqu'un ouvrit brutalement la porte du bureau. C'était Pascal Grosvallon.

— Bonjour, bonjour, tout va bien, mesdames ? dit-il en fixant un œil inquisiteur sur la poitrine de Laetitia qui fit semblant de ne rien remarquer.

— Très bien, dit Sylviane, dopée par cette intrusion.

— Vous aussi, mademoiselle...

— Madame, répliqua sèchement Laetitia pour le plaisir de le contrarier, et vous ?

— On fait aller, reprit le confident du président. Vous êtes au courant pour Maraval ?

Les deux femmes échangèrent un regard. Ce rat venait les narguer. Laetitia hésita une seconde sur le parti à prendre.

— Oui, il nous a annoncé qu'il avait décidé de quitter le groupe, finit-elle par lâcher d'un ton désinvolte.

L'homme ricana, ce qui fit tressauter son double menton. Avec ses chemises à carreaux et ses cravates rayées il aurait difficilement pu se recaser dans la mode.

— Ah ! c'est comme ça qu'il présente les choses ? Sacré Maraval ! La vérité c'est qu'à la suite de ses brillantes performances il a été foutu à la porte.

Un silence accueillit cette déclaration. L'autre cherchait un trait d'esprit à lancer avant de sortir mais ne le trouvait pas.

— Enfin, l'essentiel c'est que les piliers de la direction financière restent en place, n'est-ce pas, mesdames ?

Sylviane et Laetitia restaient muettes.

— D'ailleurs, ajouta-t-il en se dirigeant vers la porte, vous n'avez pas de souci à vous faire. La fidélité de la Compagnie envers les bons éléments est bien connue...

Très content de lui, il regagna le couloir.

À peine avait-il disparu que Sylviane lâcha une bordée d'injures peu flatteuses pour la mère du conseiller spécial.

— Calme-toi, murmura Laetitia, le dernier à rire ne sera peut-être pas celui qu'on croit. Tout ça ne me donne pas très envie de m'y mettre.

On entendit à cet instant un bruit de l'autre côté de la porte.

— Entrez, hurla Sylviane.

C'était Alice de Montbazon. Avec ses ensembles Chanel et ses bijoux de valeur, la secrétaire de Pascal Grosvallon semblait surgir d'un magasin de l'avenue Montaigne. Sa courtoisie un peu ostentatoire faisait oublier une certaine préciosité dans son expression. Son zèle envers la Compagnie était connu de tous les services.

— Je vous dérange ?

— Pas du tout, fit Laetitia en secouant la tête. On se remet juste des commentaires de votre patron bien-aimé.

La secrétaire du conseiller spécial esquissa un mince sourire.

— Il a ses défauts, ce n'est pas moi qui dirais le contraire. Mais au fond, ce n'est pas un mauvais cheval.

— Ça reste à prouver, grogna Sylviane en se plongeant dans le dossier qui était devant elle.

— Vous ne savez pas pourquoi Buté veut la voir ? demanda Laetitia en désignant sa collègue.

— Aucune idée, dit Alice de Montbazon d'une voix détachée. Et vous, ça va comment ?

Laetitia soupira.

— Oh, pas mal, fit-elle en hésitant sur la conduite à tenir.

La secrétaire de Grosvallon avait trente ans d'expérience et beaucoup de bon sens. Son avis aurait été précieux pour se sortir de cette histoire de virement. Mais leurs relations n'avaient jamais débordé du strict cadre professionnel. Et puis, il était délicat de lui parler devant Sylviane.

Le téléphone sonna.

— Bureau de monsieur Maraval, dit Laetitia d'un air las.

Alice de Montbazon lui adressa un signe amical de la main et sortit du bureau sans faire plus de bruit qu'elle n'en avait fait en entrant.

Après avoir noté le nom de son interlocuteur, Laetitia reposa le combiné. Pendant quelques secondes, elle joua avec son stylo tout en réfléchissant. Au bout d'un moment, elle prit quelques papiers devant elle et simula une opération de classement. Sous une note du directeur financier se trouvait un exemplaire de *Paris-Match*. Laetitia commença à le feuilleter.

— Zizou, Barthez, les journaux trouvent encore des choses à raconter sur eux, depuis le temps c'est incroyable...

Elle poussa tout à coup un cri qui fit sursauter Sylviane.

— Qu'est-ce que tu m'as fait peur !

Son amie lui tendit l'hebdomadaire. Sur une double page on apercevait un homme d'un certain âge en train de conduire un Riva. La légende précisait que le bateau filait à toute allure vers le cap Camarat, l'une des criques les plus recherchées de la baie de Saint-Tropez.

— C'est lui ! C'est lui !

Elle lut le début de l'article à l'intention de son amie : « De passage en France où il possède plusieurs affaires, le milliardaire florentin se détend à bord de la superbe vedette qu'il utilise tous les jours en vacances. »

— Mais qui, lui ? interrogea Sylviane partagée entre l'excitation et l'irritation provoquée par ces propos énigmatiques.

— Mon Italien ! Le type dont je t'avais parlé qui m'avait aidée à ramasser mon collier.

Sylviane hocha la tête avec gravité.

— Ma fille, je crois que tu as raté une fameuse occasion.

Laetitia reposa le journal devant elle et laissa échapper un soupir.

9.

Atomes crochus

Il avait eu un geste, au début du dîner. Leurs mains s'étaient frôlées. Elle avait ressenti comme un choc électrique. Mais il n'avait pas été plus loin. Laetitia savait pourtant qu'elle l'aurait laissé faire. Devait-elle être plus explicite ? Celui-là était-il vraiment différent ? Un visage tout en angles, un front déjà dégarni à son âge, il n'avait rien de la gravure de mode. En revanche, la façon dont il la regardait l'enchantait.

Le serveur s'approcha avec la discrétion propre aux grands restaurants. Celui-ci était situé rue de la Pompe. Seizième arrondissement. Pas son quartier de prédilection. Trop compassé, trop bourgeois. Mais après tout, ce serait lui qui paierait tout à l'heure. Cela méritait un peu d'indulgence. C'était un samedi soir et la Bourse devait bien se porter, songea-t-elle en constatant que la salle était bourrée.

— ... la maison était située tout près d'un bois où avec ma sœur nous allions faire la course en bicyclette...

Pourquoi diable, pensait-elle, fallait-il remonter à la petite enfance avant d'aller baiser ? Pourquoi fallait-il supporter les récits de voyage à Bombay au milieu des infirmes que la peste avait un peu diminués, ou dans cette Afrique noire riche en amibes et en maladies de toutes sortes avant

61

de se faire offrir un cadeau digne de ce nom ? Chacun voulait se raconter avant de s'envoyer en l'air. Cette perte de temps l'attristait mais elle ne voyait pas comment l'éviter.

Maintenant il était plongé dans une forêt effrayante en Guyane, avec cris de bêtes sauvages et hurlements d'animaux non identifiés.

Non mon chaton on n'ira pas ensemble : j'aime pas les moustiques, ni la chaleur, ni les horribles masques locaux, ni la nourriture mais continue si ça te fait du bien.

Jérôme finit enfin par concéder une pause. Sans doute pour reprendre son souffle. Que lui restait-il en réserve ? Peut-être la stratégie industrielle de la BNP, les salaires de la BNP, les chefs de la BNP, les perspectives de carrière de la BNP, les méchancetés de ses collègues de la BNP. Non, tout de même, il n'oserait pas, espérait-elle. Plus il étalait à son intention les aspects les plus insignifiants de sa vie et plus sa cote d'amour baissait.

— Tu sais, j'ai eu une discussion avec le directeur du département il y a quelques jours, eh bien, tu n'imagines pas ce qu'il m'a proposé...

Laetitia était effondrée. Il avait osé. La BNP, son avenir rose bonbon, le gros dossier confidentiel dont il était chargé parce qu'on avait confiance en lui au plus haut niveau de la banque, tu vois ce que je veux dire ? De temps en temps elle lâchait une onomatopée encourageante – non ? oh ! – et le monologue se poursuivait en pilotage automatique. Mais après tout, c'était à lui qu'elle devait l'idée du transfert. Certes, elle ne serait assurée du succès de l'opération qu'au début de la semaine. Mais les premiers indices étaient plus qu'encourageants : selon l'employée qu'elle avait eue la veille au téléphone, l'argent était déjà parti de son compte. Arriverait-il à bon port ? C'était une autre affaire. On verrait bien.

Toute sa vie allait peut-être basculer grâce à un virement de sa mère. Sans oublier les lamentables informaticiens de sa banque. Le nouveau système informatique de gestion des comptes-clients de son agence s'était déjà illustré par quelques « légers dysfonctionnements », comme on disait dans les réunions internes de la CGP. Mais là il avait fait fort. En s'emmêlant les pinceaux l'ordinateur avait apparemment transformé le modeste virement en pactole. Il y avait tout de même un détail étrange. Le virement en cause était de sept mille francs. Avec cinq zéros de plus cela aurait dû donner sept cents millions. Or, elle n'en avait que 600. L'explication apparaîtrait un jour ou l'autre. L'ordinateur devait obéir à un logiciel à l'esprit aussi confus que celui de Maraval. En tout cas, la question qui se posait désormais était : que faire de cette fortune tombée du ciel ? Commencer à la dépenser ? Laetitia hésitait. Elle n'arrivait pas à croire à ce signe du destin. S'il fallait rendre l'argent, comment ferait-elle ? Alors, l'investir ? Mais où ? Pour quelle durée, quel usage ? Vider son compte en retirant du liquide au guichet ? Trop visible. Pas le moment. Juste un ou deux plaisirs. Peut-être cette bague Chanel avec ses petits diamants en étoile. Elle en parlerait à Jérôme. À moins que, non, pas indispensable. Il se sentirait dispensé de se montrer généreux. Non, elle dirait plutôt que le bijou venait d'un précédent prétendant fou amoureux qui la couvrait de cadeaux plus extravagants les uns que les autres.

— ... et on se demande comment faire entrer cet investisseur dans le capital de la CGP...

Laetitia sursauta. Le grand traumatisé de la vie poursuivait sa conférence. Mais de quoi parlait-il ?

63

— Excuse-moi mais je n'ai pas bien compris, l'interrompit-elle en essayant de prendre un air passionné, tu as dit... ?

Jérôme se redressa sur sa chaise et renonça à avaler la portion de lotte au safran – trop cuite – qu'il avait portée à sa bouche. Elle apercevait à peine son visage tant la lumière était tamisée. La seule chose qui plaidait en faveur du restaurant était le décor. Noir, joli mobilier conçu par un designer en vogue, il donnait une ambiance feutrée, rassurante. Seuls les prix de la carte introduisaient une note d'angoisse. Quant à la clientèle, mélange de concepteurs-rédacteurs débraillés et de cadres sortant leur maîtresse en ville, elle inspirait l'effroi.

— C'est la mission confidentielle dont je t'ai parlé, dit-il en baissant la voix. Je ne devrais même pas t'en dire un mot...

— Oui, fais bien attention, je pourrais dès lundi matin entrer dans le bureau du président et lui dire : « Cher ami, attention à l'OPA du groupe Machin Chouette... »

Le jeune banquier laissa échapper un rire bruyant.

— Non, bien sûr, mais on ne sait jamais à qui on parle !

— Là tu le sais, non ?

— Oui, mais enfin le silence c'est une règle d'or du métier, ne te formalise pas si...

— En tout cas ça m'étonne ton histoire parce qu'à ma connaissance...

Elle chercha dans sa mémoire les extraits d'un article qu'elle avait lu sur son employeur. Il fallait soigner son vocabulaire.

— ... le capital du Groupe est verrouillé...

Elle laissa sa phrase en suspens pour le laisser venir.

— C'est ce que la presse prétend, dit-il en baissant la voix d'un air de comploteur, mais en réalité, depuis quelques jours, environ 5 % des actions se baladent... Et comme le capital est très dilué...

— Dilué, répéta-t-elle d'un air songeur comme si elle mesurait les implications de cette formule énigmatique.

— Eh oui ! Tu savais qu'aucun actionnaire de ta société n'en a actuellement le contrôle ?

— Non, pas du tout.

Elle accompagna sa réponse d'un sourire charmant. Le regard fasciné qu'elle lui lança le fit rougir de plaisir. Il était aux anges. À cette seconde-là il se voyait en caïd de la haute finance. Et cette femme qui le dévorait des yeux. Cette soirée était délicieuse. Certes les prix de ce restaurant étaient déments mais il ne regrettait pas son choix.

— Mais alors, il suffit de pas grand-chose pour...

Autant user de la même technique qui avait fait ses preuves jusqu'ici.

— ... être le premier actionnaire du groupe et le contrôler de fait. Exactement. Enfin le premier peut-être pas, mais le deuxième ou le troisième sûrement.

— Mais dis-moi...

— Oui ?

Elle sentait bien qu'elle minaudait au-delà du supportable mais après tout il avait l'air content.

— ... avec mes fameux 600 millions dont nous parlions l'autre jour au dîner...

— Tu serais en effet en situation d'entrer dans le capital, dit-il avec un sourire innocent. Il te faudrait quand même emprunter à ta banque, disons... à peu près la même somme ou un peu plus, ça s'appelle acheter à découvert, c'est-à-dire avec l'argent de la banque, en fait.

— Et... elle voudrait bien ?

— Tu plaisantes, dit-il avec une moue méprisante, elle se battrait pour te le prêter.

— Je ne comprends pas...

— Écoute, notre problème c'est de nous débarrasser des petits clients. Pour les autres, et surtout les gros, c'est fête tous les jours ! On touche d'énormes commissions à ce niveau de placement, et puis c'est une bonne garantie 600 millions non ? Tu pourrais même emprunter trois ou quatre fois cette somme. Mais à la fin du mois boursier, en général vers le 25, si le cours de l'action a baissé tu dois payer la perte. Si elle a monté tu empoches la différence et tout va bien ! Tu peux aussi reporter ta position au mois suivant. Mais tu as intérêt à ce que ça ne baisse pas à nouveau sinon ça finit par te coûter cher.

— Et que penses-tu de...

— ... l'évolution prévisible du cours de la CGP ?

— Voilà.

— Ça va monter.

— Et pourquoi ?

— D'abord, à cause de l'intérêt des étrangers pour les grands conglomérats de ce genre. Ils ont gagné beaucoup d'argent avec la Bourse de Paris depuis quelques années.

— Et puis ?

— Eh bien, comment t'expliquer, dit le quadragénaire en se raclant la gorge d'un air important, la CGP est une boîte fondamentalement saine, gérée avec prudence. Chavaignac a fait ses preuves, il a su prendre le tournant des nouvelles technologies et du Net et il a la cote auprès des analystes. Donc, c'est une valeur sous-évaluée dont le cours pourrait même exploser un jour.

— Tu en es sûr ?

Il se redressa, majestueux.

— Écoute, j'en parlais récemment avec mon patron et crois-moi ce n'est pas n'importe qui. Si tu savais qui sont ses clients... Enfin, bref, il me disait la même chose.

— Donc...

— Tu peux te gaver, il y a peu de risques !

Laetitia restait songeuse. Fallait-il remettre son sort entre les mains de ce type qu'elle ne connaissait pas une semaine plus tôt ?

— Sérieusement, tu disposes de combien ?

— Oh, pas grand-chose, mais tout de même de quoi t'intéresser...

— Alors, vas-y, fonce !

Ce dîner était décidément une idée épatante, se dit-elle en reprenant un morceau de ce hareng à la cerise qui avait un drôle de goût.

10.

Le complice

Sylviane décrocha le téléphone.

— Oui, ne quittez pas.

Elle fit un signe en direction de Laetitia.

— C'est ta nouvelle conquête.

— Tu parles d'un exploit ! Il m'aura à l'usure celui-là !

— *Le plus difficile, ce n'est pas de les séduire, c'est de les laisser tomber sans qu'elles se fassent mal*, chantonna sa collègue en reprenant un air fameux de Dutronc.

C'était la troisième fois depuis le début de la matinée qu'il essayait de l'appeler. Le week-end n'avait pas eu raison de sa flamme.

Quand ils étaient sortis du restaurant, elle avait décliné sa proposition. Non, pas de dernier verre, ni chez lui ni ailleurs. Il avait eu l'air déconfit. Le grand conquérant rentrerait bredouille. Ce sont des choses qui arrivent. Quand elle sortait avec un garçon, Laetitia pratiquait ce qu'elle désignait sous le terme de « bonus-malus ». Une bonne situation valait vingt points, une belle tête quinze, de la conversation dix. En revanche, celui qui s'était laissé aller a un petit mensonge (une femme oubliée, par exemple) écopait de vingt points de malus, le prétentieux qui draguait de façon vulgaire de dix, le constructeur acharné de

69

foyer qui parlait d'enfants dès le premier rendez-vous de quinze. Grâce à ce barème rodé au fil des ans, elle avait réussi à mettre au point un système de filtrage qui lui donnait relativement satisfaction.

Elle le sentait accroché. Il ne gigotait pas encore au bout de la ligne mais il suivait déjà le bateau.

— Comment vas-tu ? dit-elle en prenant l'appareil, d'une voix plus sèche qu'elle ne l'aurait voulu et qui devait beaucoup à la fausse indifférence de Sylviane. Non, pas du tout, pourquoi dis-tu ça ? Oui, moi aussi... Oh pas grand-chose, j'ai fait un peu de rangement et puis je suis allée au ciné... Quoi ? *Il était une fois dans l'Ouest*, j'adore les vieux westerns, même parodiques... Pourquoi ? Je ne sais pas, j'ai décidé ça au dernier moment et... Hein ? Écoute il n'y a pas de quoi...

Sylviane avait fini par craquer. Elle ponctuait maintenant chaque réplique de gestes ironiques qui auraient dissuadé l'invisible interlocuteur de poursuivre cette conversation s'il les avait vus. Quand elle mima une décapitation en fixant une guillotine en papier sur le classeur du courrier, Laetitia ne put s'empêcher de rire.

— ... Qu'est-ce que tu dis ? Non rien, c'est une de mes collègues de bureau qui me parle. Quoi ? Oh rien, des bêtises... Si ça te concerne ? Mais tu ne serais pas un peu paranoïaque, toi ? Allô ?

Elle reposa l'appareil.

— Alors ?

— Il a raccroché.

— Susceptible le monsieur !

— Tu peux le dire. Et collant en plus ! Il me faisait une crise de jalousie parce que j'étais sortie hier sans lui. On est quand même pas mariés pour la vie parce qu'on a dîné une fois ensemble, c'est fou ça !

70

— Qu'est-ce que tu vas faire ?

Le téléphone sonna à nouveau. Sylviane attrapa le combiné.

— Bureau de Monsieur Maraval. Ah bonjour. Excusez-moi, je n'avais pas encore eu le temps de vous rappeler, oui, d'accord. Je vous la passe.

En une seconde Laetitia avait perdu sa bonne humeur. Le gestionnaire du capital humain, la ressource la plus précieuse de la CGP selon la brochure du groupe, voulait lui parler. Mais elle avait plus urgent à faire. Elle fit un signe de dénégation et se leva. L'autre opina de la tête, moins concernée par le sort de sa collègue que par le sien.

— Excusez-moi, mais elle vient de sortir du bureau, je peux lui donner un message ?

Arrivée dans le couloir, Laetitia hésita. Désormais il lui fallait un endroit où passer discrètement les appels. Après quelques secondes, elle choisit une salle de réunion située au rez-de-chaussée. Affectée aux cadres qui revenaient de province ou de l'étranger et ne disposaient pas encore d'un bureau, la pièce était souvent libre. Sur la porte était posée une plaque sur laquelle on pouvait lire : OPÉRATION CONDOR. Le nom de code qui avait autrefois servi aux négociateurs du groupe lors du rachat d'un important concurrent. Ces patrons, par certains aspects, avaient un âge mental situé entre 6 et 10 ans, songea-t-elle en poussant la porte.

Elle s'installa près du téléphone et composa le numéro de la SFCI : Société Française de Crédit International. Une banque privée peu connue où sa mère lui avait ouvert quelques années auparavant un compte auquel elle n'avait jamais touché. Elle n'avait même pas envisagé de le fermer. Elle demanda le directeur-adjoint qu'elle avait rencontré une fois. On entendit les bruits habituels de transfert des lignes. Elle reconnut sa voix. Moins aimable qu'elle ne l'aurait cru. Ils échangèrent les propos que tiennent deux personnes bien élevées qui ne se connaissent pas.

— Je suis content que vous m'appeliez, dit-il tout à coup en laissant échapper une toux gênée.

Il était temps. Laetitia n'appréciait guère la désinvolture d'un établissement dont elle allait faire la prospérité.

— Nous venons de recevoir ce matin un virement de 598 millions de francs et quelques, je n'ai pas le chiffre exact sous les yeux... C'est bien ça ?

— Exactement, dit-elle sans pouvoir dissimuler son contentement.

Il y eut un silence.

— Pour être franc, il nous pose un problème, reprit le banquier.

— Ah bon, murmura Laetitia, surprise.

— Oui, parce que vous êtes certes une cliente de la banque mais vos actifs chez nous sont... disons modestes.

— Et alors ?

— Et voilà tout à coup un virement considérable qui arrive sur votre compte. Vous savez peut-être que la législation nous oblige depuis quelques années à signaler au ministère des Finances toute somme qui pourrait être d'origine suspecte...

— Je ne comprends pas, réussit à articuler Laetitia.

— ... donc je dois vous poser la question, madame. D'où vient cet argent ?

Elle éprouva un choc. Pourquoi une telle brutalité ? De quel droit lui parlait-il ainsi ? Laetitia se sentit humiliée.

Elle avait toujours pensé que chacun croisait un jour son destin. Tout le monde avait droit au moins à un tirage à la grande loterie de la vie. Encore fallait-il savoir le saisir. Mari, promotion, héritage, invitation officielle, ami, déménagement, reconversion, l'existence offrait toujours une seconde chance à ceux qui le méritaient. La sienne était incarnée par l'erreur de cet ordinateur imbécile. Même si cet argent n'était qu'un mirage, même si elle ne le gardait pas, elle avait l'intuition qu'il allait lui permettre de changer de vie. Une seule condition pourtant : trouver une banque qui accepte ses millions tombés du ciel. Elle se souvenait maintenant d'avoir entendu des ministres expliquer à la télévision que la lutte contre le blanchiment de l'argent sale allait être renforcée. Elle se rappelait très bien sa réaction. Enfin, ils s'attaquaient un peu à la mafia, aux spéculateurs, aux grands trafiquants. Comment aurait-elle pu se sentir concernée ? Elle comprenait maintenant que tous les banquiers auraient la même réaction frileuse.

Un sentiment d'impuissance la gagna. Elle eut envie de pleurer. Un miracle s'était produit mais qui ne servirait à rien. Elle réfléchissait désespérément. Aucune de ses amies ne travaillait dans la banque. Sa mère était vendeuse dans une boutique d'objets anciens. Sylviane ? Inutile. Ce porc de Grosvallon, lui, aurait sûrement su comment s'y prendre ! Il suffisait peut-être de coucher avec lui. Mais là on tombait dans le scénario catastrophe. Elle n'allait tout de même pas rendre ce pactole.

— Vous m'entendez ?

C'était la voix du petit trouillard. Un jour, elle s'occuperait de son cas.

— Oui. Écoutez, puisque mon argent vous répugne...

— Non, ce n'est pas ça mais...

— Ne vous inquiétez pas, j'ai très bien compris. Je vous rappelle dans la journée pour le transfert.

— Il ne faut pas...

— À bientôt monsieur.

Elle raccrocha sèchement et composa le numéro de Sylviane.

— Dis-moi, je suis à la compta, je remonte dans cinq minutes. Rien de neuf ?

— Si. Buté voudrait te voir en fin de journée. Quant à ton chevalier servant, il a déjà rappelé et il insiste pour...

— Je vois. Bon, je te laisse, à tout à l'heure.

C'était sa dernière chance. Mais un peu d'astuce ne serait pas inutile. Elle fit son numéro.

— Allô Jérôme ? C'est moi.

— Écoute je suis désolé, je me suis un peu énervé...

Elle le laissa s'enferrer dans une suite d'explications navrantes. Le stress, la banque, elle déjà si importante pour lui, le téléphone si froid pour se parler. Quand il en arriva aux incompréhensions des relations hommes-femmes, elle l'interrompit :

— Bon tu es pardonné.

— C'est vrai ? dit-il sans pouvoir dissimuler sa joie. Et toi qu'est-ce que tu as fait ce matin ? ajouta-t-il d'un ton humble.

— Oh, des bricoles, toujours les chiffres d'activité des filiales. La consolidation, la routine, quoi. Ah, il faut que je me décide avant le déjeuner pour mon placement...

— C'est quoi ça ?

— Mais tu sais bien, mes 600 millions !

Il éclata de rire.

— Ah oui, excuse-moi je les avais oubliés. Je peux faire quelque chose ?

Elle laissa passer quelques secondes.

— Tiens je n'y avais pas pensé...

— Tu veux qu'on se voie pour en parler ? dit-il en mordant joyeusement à l'hameçon.

— Au fond pourquoi pas... Mais je voudrais d'abord te faire le virement, autant discuter à partir de quelque chose de concret.

— D'accord je t'ouvre un compte.

— Mais les formalités sont longues, non ?

— Pour le commun des mortels oui, répliqua-t-il avec une assurance retrouvée, mais pour toi c'est différent. Ce sera fait dans une heure.

Il était content de lui. Ce petit service ne lui coûtait rien et ça avait l'air de lui faire plaisir. Il savait que les femmes modernes considéraient volontiers le prétendant comme un objet ménager : est-il utile ? Combien de temps est-il sous garantie ? Est-ce que c'est facile d'emploi ?

— Mais tu as l'autonomie pour...

— Ne sois pas perfide, Laetitia, bien sûr que oui. Encore heureux !

— Mais d'après ce que je sais pour la gestion...

— Tu sais à la BNP les cadres sont très autonomes. J'informe mon directeur, bien sûr, mais seulement de ce qui ne va pas. Et puis je peux choisir le moment. Alors c'était combien déjà, soixante mille francs, non ?

Il avalait l'appât avec une avidité qui la fit sourire.

— Non, Jérôme, je t'ai déjà expliqué mais tu ne veux toujours pas me croire.

— Ah ! oui, c'est vrai, 600 millions, dit-il d'un ton guilleret. Eh bien d'accord, tu me les envoies, je régulariserai le virement d'ici demain si tu veux.

— Mais je vois bien que tu te moques de moi et...

— Pas du tout, dit-il d'une voix triomphante, je les recevrai avec plaisir.

— Et on pourra faire ce que tu m'avais raconté l'autre jour, l'histoire des achats à découvert, c'est ça ?

75

— Sans aucun problème. Tu sais que je ne peux déjà plus me passer de toi ?

— Tu le promets ?

— Absolument.

— Qu'est-ce que tu as de plus cher ?

— Mon fils.

Elle resta une seconde abasourdie.

— C'est nouveau ça !

— Ah ! j'avais oublié de te le dire ? Tu sais je n'aime pas trop raconter ma vie au début... Je ne voulais pas t'effrayer.

— Ça n'a pas d'importance, dit-elle d'une voix suave, en pensant aux vingt points de malus dont il allait écoper. Donc sur la tête de ton fils...

— Je te le promets, asséna-t-il avec conviction.

— Parfait, alors à demain.

— Je t'adore.

Elle reposa le combiné. Il serait intéressant de voir combien de temps cette passion subite résisterait aux événements.

11.

600 millions

Le lendemain était un mardi. Laetitia regarda sa montre quand elle passa sous le porche de l'hôtel particulier de l'avenue Mac-Mahon. 10 h 20. Depuis qu'elle travaillait elle était rarement arrivée si tard. Mais il avait fallu déposer sa mère à l'hôpital pour un examen. Une douleur au bras. Elle devait passer la reprendre vers 13 heures. Elle attendit une minute l'ascenseur. Jérôme avait dû recevoir l'argent ce matin. Allait-il garder son sang-froid ? 600 millions pour moi toute seule, songea-t-elle. Une semaine qu'elle était milliardaire ! Jusqu'à quand ?

Dans le couloir, elle salua des collègues qui lui semblèrent plus réservés que d'habitude. Elle poussa la porte du secrétariat. Sylviane était en train d'empiler des affaires dans un grand sac en plastique frappé du sigle de la société.

— Bonjour mon chou. Qu'est-ce que tu fais ?

— Tu vois bien.

Sa voix était calme. Un peu trop.

— Tu ranges tes dossiers ?

— En quelque sorte. Je plie bagage.

Laetitia sentit quelque chose se contracter dans son estomac.

— Tu peux m'expliquer ?

— J'ai eu mon entretien avec le chauve ce matin.

— Ah ! c'était ce matin ? Je croyais que c'était plus tard.

— Non, je te l'ai dit hier mais tu es un peu dans la lune en ce moment.

Laetitia se sentit vaguement coupable.

— Excuse-moi, je n'avais pas réalisé...

Sa voisine de bureau eut un pâle sourire.

— Je ne t'en veux pas. En tout cas, ils m'ont bien foutue à la porte. Douze ans dans cette boîte et je suis virée comme si j'avais piqué dans la caisse. Finalement, c'est ce que j'aurais dû faire.

— Mais... ils ont donné des raisons ?

— Tu rêves ? Quelles raisons ? Trop vieille, trop moche, trop pas dans le coup, est-ce que je sais ?

— Mais enfin, ce n'est pas possible, Maraval nous avait dit...

— Tu parles ! Il nous a bien lâchées ce salopard, il s'est couché dès qu'il a eu son chèque. Et en plus il faudrait continuer à lui faire son secrétariat !

Ainsi ils avaient osé. Laetitia, tremblante de rage, s'assit sur sa chaise et, sans même prendre le temps d'enlever son manteau, s'empara du téléphone.

— Qu'est-ce que tu fais ?

— Allô Jérôme ? Tu as reçu... ? Oui ? Parfait. Quoi ? Je ne veux pas discuter là-dessus. Tu t'es engagé. Tu n'avais qu'à me croire quand on en parlait.

La conversation intriguait Sylviane.

— Alors voilà ce que tu vas faire maintenant, tu entends ? Pas dans une heure, maintenant. Hein ? Je m'en fiche, ça te prend deux minutes pour passer un ordre, c'est toi qui me l'as expliqué, c'est vrai oui ou non ? Ah ! tu vois bien. Avec ce que j'ai et l'équivalent prêté par la banque, le truc des achats à terme, tu vas ramasser pour moi toutes les actions CGP que tu trouves...

Sylviane ouvrit de grands yeux.

— ... Quoi ? Écoute, c'est bien toi qui m'as dit aussi que ça allait monter et qu'il n'y avait aucun risque ? De toute façon c'est juste pour quelques jours. Mais non tu ne vas pas sauter ! Bon alors tu y vas et tu me rappelles dès que c'est fait, d'accord ? Parfait. Qu'est-ce que tu fais ce soir ? Tu ne peux pas ? Bon comme tu veux, dans ce cas... Ah ! tout de même ! Oui moi aussi.

Laetitia leva les yeux au ciel en raccrochant.

— Si tu voulais bien te donner la peine de m'expliquer...

Laetitia hésitait. Elle se décida finalement.

— Eh bien, tu sais l'argent qui est arrivé l'autre jour sur mon compte par erreur...

— Oui, et alors ?

— ... je le garde.

— Tu plaisantes ?

— Non. Et par précaution, je l'ai déjà transféré dans une autre banque et ça n'a pas été facile, crois-moi !

— Tu es dingue !

— Et pourquoi ?

— Mais... ils t'accuseront d'escroquerie !

— Je n'ai rien fait.

— Bien sûr ! Cet argent galope d'une banque à l'autre mais à part ça, tu es une blanche colombe.

Ce qu'elle avait fait apparut tout à coup sous un jour différent à Laetitia.

— Réfléchis bien, ils pourraient te faire un procès.

— C'est eux qui se sont plantés, non ?

— Et alors ? dit Sylviane en élevant la voix. Tu ne sais pas comment ça se passe peut-être ? Nous, quand on refuse de payer un sous-traitant qui a un contrat béton sous prétexte que le boulot a été bâclé, on est de bonne foi ? Non, et on ne se gêne pas !

— Ce n'est pas pareil.

— Mais si, ma jolie.

— D'ailleurs, ce fric n'est pas pour moi.

— Ah ! parce que tu vas le donner en plus !

— Non, mais... enfin je ne sais pas si je peux t'en parler.

— Alors, ne m'en parle pas, fais ta princesse, grogna Sylviane offusquée.

— Bon, écoute...

Elle laissa passer un silence.

— ... Avec mes actions je compte secouer un peu ces messieurs...

L'autre écarquilla les yeux.

— Ne me regarde pas comme ça, je ne suis pas folle.

— Et tu vas faire quoi ? grinça Sylviane. Tu vas débarquer Chavaignac ? Transformer la boîte en association humanitaire ?

— Pas la peine de faire de l'esprit. Et pourquoi est-ce qu'on ne pourrait pas faire évoluer les choses ? On est obligé de gruger les gens en lançant des filiales en Bourse auxquelles le groupe transfère en douce ses dettes ? C'est pas ce qu'on va faire avec CGP-Intertechnologies ? On sait bien que le cours va s'effondrer et que ceux qui auront acheté pendant l'introduction seront plantés, non ?

— D'accord c'est pas très correct...

— Tiens, tu prends leur défense maintenant ? Tu ne disais pas ça tout à l'heure ! Et nos fournisseurs dont tu parlais ? On ne les étrangle pas tous les ans un peu plus ?

— C'est vrai mais...

— Mais quoi ? Il faut tenir les prévisions sur des objectifs de plus en plus délirants, voilà la réalité ! On licencie chaque année en catimini 2 % des employés, tu trouves ça normal, toi ?

— Non, évidemment.

— Et les rapports d'activité, tu les trouves honnêtes, toi ? Moi pas. Une année on diminue les provisions quand on veut améliorer les résultats, et on les regonfle l'année suivante quand on veut se garder des réserves ! Ce sont des maquignons, Jean-Louis comme les autres. Et cette boîte en Ouzbékistan, qu'est-ce qu'elle vaut ? Tu sais bien qu'on avait reçu une note confidentielle qui émet des doutes sur l'activité de cette société ! Ils ont peut-être acheté du vent, les gros malins du neuvième ! Et tout ce qu'on ne sait pas.

Sylviane hocha la tête, déjà à moitié convaincue.

— Évidemment, vu comme ça...

— Crois-moi, maintenant c'est comme ça qu'il faut voir les choses.

La porte s'ouvrit. Encore une visite. Daniel Buté, un habitué.

— Laetitia, dit-il en arborant son bon sourire de vampire, il faut vraiment que je vous voie. Vous n'êtes pas passée l'autre jour.

Elle se leva dans un sursaut.

— Tout de suite si vous voulez...

— Non, je dois faire le compte rendu du conseil. À 15 heures, ça vous convient ?

— Très bien.

Il disparut comme un voleur.

— Ah ! leur fameux conseil, lâcha Sylviane, ça leur fait de l'usage !

Laetitia sursauta.

— Qu'est-ce que tu dis ?

— Rien, je parle des grands airs qu'ils prennent avant d'aller en réunion...

— Il y a qui dans le conseil d'administration déjà ?

— Tu le sais bien, grogna son amie. Maraval, le Grosvallon, l'Américain qui représente les retraités californiens, je crois et puis... je ne sais pas ils ne m'ont jamais donné la liste...

— Le président aussi ?

— Mais qu'est-ce que tu as ? tu as une vraie tête d'illuminée... Tu sais bien que oui.

Laetitia ramena en arrière la mèche qui lui tombait sur le visage, signe d'intense concentration chez elle.

— Je crois que je viens d'avoir une idée.

— Tu me fais peur avec tes idées en ce moment.

— Tu as tort, celle-là va te plaire à mon avis. Bon, moi, j'ai fini ma journée.

— Mais il est...

— Je sais mais j'ai décidé de prendre un peu de bon temps.

Elle se leva et sortit du bureau sans ajouter un mot.

12.

L'outrage

Le conseil d'administration du groupe se déroulait, selon un rite immuable, dans la seule salle de réunion que comptait le neuvième étage. De larges baies vitrées offraient une vue saisissante de l'Arc de Triomphe et de l'ensemble du quartier.

— Comme vous le savez, Jean-Louis Maraval a décidé de nous quitter. Il n'a hélas ! pas pu venir aujourd'hui en raison d'une légère indisposition...

Les visages des membres du conseil restèrent impassibles. Vu le montant de leurs jetons de présence, c'était préférable. C'est au moment où le président enchaînait sur les déboires russes que la porte s'ouvrit avec une brutalité inhabituelle.

— Ah ! ces messieurs sont en conférence...

Les administrateurs tournèrent la tête vers Laetitia. Quelques-uns ne purent dissimuler leur étonnement. C'était moins l'intrusion d'une inconnue dans ce sanctuaire que le ton sarcastique dont elle avait usé qui les surprenait.

— Qui est cette personne ? demanda d'un ton glacé le président.

Sa secrétaire, installée sur un petit bureau en retrait pour pouvoir prendre des notes, s'apprêtait à répondre mais n'en eut pas le temps.

— Je m'appelle Laetitia Rossi, monsieur le Président, et nous avons fait connaissance la semaine dernière..., dit-elle d'une voix mal assurée en essayant de se souvenir des trois thèmes qu'elle avait prévu de développer.

— Première nouvelle, dit-il en affichant une moue de mépris.

Elle vacilla, hésitant à poursuivre.

— Mais si, rappelez-vous, vous étiez dans mon bureau faute d'avoir pu mettre la main sur Jean-Louis Maraval...

Les membres du comité sursautèrent.

Cette familiarité leur était insupportable.

— ... et votre... comment dois-je dire, votre conseiller personnel – elle reprenait confiance tout en désignant un Grosvallon suffoquant d'indignation – confondait les dollars et les euros.

L'intéressé voulut se lever pour se jeter sur elle. Sur un signe péremptoire de son mentor il se rassit, ce qui impulsa à son double menton un mouvement comique.

— Peut-être. Écoutez mademoiselle...

— Madame, dit-elle avec un large sourire.

— Madame si ça vous fait plaisir, je vous prie de quitter cette salle où vous vous êtes invitée de façon assez cavalière.

Laetitia savait qu'elle avait transgressé un tabou. Elle était maintenant le dos au mur.

— Mais certainement, dit-elle d'une voix respectueuse, je vais la quitter, mais avant je vais vous dire une ou deux vérités...

— Évelyne, dit le président en s'adressant à sa secrétaire.

Celle-ci se leva brusquement et s'approcha, menaçante. Laetitia fit un geste de la main qui ne laissait pas de doute sur son intention de résister par la force à une tentative d'expulsion. On apercevait les têtes de quelques employés qui, intrigués par le bruit de la discussion, s'étaient massés près de la porte, à une distance suffisante cependant pour ne pas être dans le champ de vision des membres du conseil.

— Première chose donc. Nous avons perdu beaucoup d'argent dans des endroits où vous aviez annoncé des résultats mirobolants. C'est évidemment ennuyeux...

— Écoutez, c'est insupportable !

— Et vous virez notre directeur financier, poursuivit Laetitia que le ton comminatoire du président n'impressionnait plus. Bon. Là-dessus vous décidez de faire un tarif de groupe et de nous embarquer aussi dans la charrette, nous les secrétaires...

— Quelle insolence ! lâcha un vieillard du comité qui se tordait les mains.

— ... et là je dis que nous ne sommes plus d'accord.

— Vraiment ?

— Oui, monsieur le Président. Parce que je vous le demande : est-ce que nous y sommes pour quelque chose ?

— Écoutez, madame, je vous invite une dernière fois à vous retirer, sinon...

— Et le point N° 8 de la charte ?

— Hein ?

Plusieurs collaborateurs du président n'avaient pu s'empêcher d'avoir la même réaction. La charte ?

— Mais si, rappelez-vous, la charte de vie commune qui prévoit que le licenciement est le dernier recours du groupe en cas de difficulté...

— Évidemment, si vous croyez à ce genre de conneries !

Pascal Grosvallon qui venait de lâcher cette phrase eut droit à un regard présidentiel qui fit passer un frisson dans le dos de Laetitia. Celle-ci sauta sur l'occasion.

— Ah ! nous y voilà !

On entendit un murmure de réprobation dans le couloir. La phrase du conseiller avait été entendue par ceux qui étaient le plus près de la porte et qui le répétaient maintenant aux autres. Laetitia se retourna. En apercevant une silhouette longiligne, elle reprit confiance en elle. Le délégué CFDT du groupe était d'autant plus craint par la direction qu'il n'avait rien d'un extrémiste.

— Nous avons gagné un milliard deux au dernier trimestre et il faut continuer à virer du monde, c'est ça la gestion attentive du personnel dont vous nous saoulez dans chaque numéro du journal interne ?

Le président se leva et se dirigea d'un pas lent vers Laetitia.

— Avant que vous ne me frappiez, monsieur le Président...

Celui-ci eut un geste d'agacement.

— ... je vais vous annoncer une dernière chose.

La pression derrière eux était si forte que les employés situés à l'entrée de la salle furent tout à coup poussés à l'intérieur. Laetitia prit conscience qu'ils étaient au moins une vingtaine maintenant à l'écouter. Ce mouvement renforça l'exaspération du président. Mais elle savait depuis le matin que Jérôme avait réussi à lui faire acheter à un prix avantageux un gros bloc d'actions du groupe.

— ... C'est que les actionnaires de la CGP – elle éleva la voix pour impressionner l'assistance, y compris les employés restés à l'extérieur de la salle de réunion – devront se comporter différemment désormais...

— Ça suffit madame, dit Benoît Chavaignac en attrapant le bras droit de Laetitia qu'il serra avec une force prodigieuse.

— Mais vous me faites mal !

86

Le murmure de protestation s'était transformé en grondement menaçant. Le président, surpris, relâcha son étreinte. Elle en profita pour dégager son bras d'un mouvement brusque.

— ... et personnellement, poursuivit-elle en baissant subitement la voix, vieux truc utilisé par les orateurs pour forcer l'attention d'une assemblée, je compte donner l'exemple.

Le grand homme écarquilla les yeux.

— Mais... cette femme est folle !

Elle se cabra sous l'insulte. Un jour, il paierait chèrement cette sortie.

— Peut-être. Mais en attendant il faudra tenir compte de mon point de vue.

Son assurance avait plongé les membres du comité dans une sorte de léthargie. Le personnel, lui, hésitait entre la fascination et la compassion. Le délégué CFDT la fixait avec une étrange attention.

— ... parce que depuis hier il est clair que le tour de table du conseil d'administration ne pourra pas rester longtemps le même étant donné que je détiens une part significative du capital. J'entends donc être traitée désormais avec les mêmes égards que les autres honorables actionnaires qui sont ici.

La stupeur se lut sur tous les visages. Le coup de théâtre était réussi. Pascal Grosvallon semblait au bord de la congestion cérébrale. Le représentant de la CFDT, éberlué, lui fit un signe de tête d'un air de dire : « C'est vrai ça ? » Elle aperçut Sylviane dans les premiers rangs. Elle semblait pleurer.

— À très bientôt monsieur... le Président.

La foule s'écarta pour la laisser passer. C'est pas désagréable le pouvoir, se surprit-elle à penser. Elle entendait derrière les commentaires : « Incroyable ». « Mais qui est cette personne ? » Elle se retourna pour immortaliser la scène dans sa mémoire. Brusquement, elle se figea. Au fond de la pièce, à l'extrémité de la table, un homme qu'elle n'avait pas remarqué jusque-là la suivait du regard. L'Italien ! Membre du conseil d'administration de la CGP ! Une seconde elle crut qu'elle allait s'évanouir.

13.

L'actionnaire

Pascal Grosvallon lisait le document que venait de lui envoyer la banque, lorsque l'interphone grésilla.

— Quoi encore ?

Sa secrétaire était habituée à la grossièreté du numéro trois de la Compagnie.

— Monsieur, quelqu'un insiste pour vous parler.

Il connaissait le nom. Le responsable de la rubrique « Entreprises » d'un grand quotidien économique. Ses papiers étaient faciles à lire et bien informés. Depuis des années, à l'insu de la direction de la communication, il traitait avec délicatesse cet interlocuteur influent. Il fallait toujours alimenter les hyènes de la presse par différents canaux.

— Il ne veut pas dire...

— Ce n'est pas grave, passez-le-moi.

— Euh... à propos, Laetitia Rossi a demandé de pouvoir utiliser la grande salle de réunion ce soir pour son pot de départ...

— Pas question.

La secrétaire se racla la gorge comme pour se donner du courage.

— Excusez-moi, mais vous ne croyez pas qu'on pourrait tout de même...

— Mêlez-vous de ce qui vous regarde, Alice ! J'ai dit non et c'est non. Vous lui dites qu'il n'en est pas question, c'est clair ? Qui s'occupe des salles de réunion ?

— Eh bien, Daniel Buté, je pense ; en général c'est la DRH qui...

— Vous l'appelez et vous lui dites de surveiller que toutes les salles ont bien fait l'objet d'une autorisation.

— Bien, monsieur.

Il entendit le bruit du transfert des lignes.

— Bonjour, comment allez-vous ?

Le journaliste répondit aimablement en évoquant d'un mot ses futures vacances. Grosvallon enchaîna sur les bons résultats trimestriels du groupe et une opération de diversification envisagée récemment : le rachat d'une chaîne de magasins norvégienne spécialisée dans le eCommerce pour homosexuels aisés. C'est au moment où il venait d'attirer l'attention de son interlocuteur sur l'évolution du cours du titre que le journaliste l'interrompit :

— Justement à ce sujet, comment accueillez-vous l'entrée d'un nouvel actionnaire dans votre capital ?

L'estomac chargé de foie gras et d'agneau de Pauillac de Grosvallon se serra :

— De quoi parlez-vous ?

— Oh, ne faites pas l'innocent, vous le savez aussi bien que moi !

— Non, je vous assure.

Il y eut un soupir à l'autre bout du fil.

— Je ne vous comprends pas. Étant donné le nombre de titres achetés il y aura sans doute un communiqué de la Commission des Opérations de Bourse, alors pourquoi ne rien dire ?

Grosvallon avait la désagréable impression que son cerveau était sur le point de se désintégrer. Il avait déjà fallu supporter la veille cette hystérique qui jouait à l'actionnaire de référence. Et maintenant, voilà que cet incident ridicule prenait une nouvelle dimension. Quelqu'un avait dû lui raconter la scène du conseil. Mais qui ?

— Écoutez, ce sera off, comme d'habitude...

Le off, très prisé des médias, consistait à lâcher des commentaires atroces sur le monde entier en gardant l'anonymat. Chacun pouvait assouvir ses pulsions en toute impunité, ce qui était la façon idéale d'utiliser les journalistes.

— ... Si vous voulez, poursuivit son interlocuteur, je ne citerai même pas le groupe, j'attribuerai ce que vous me direz à un analyste financier ou à un banquier, ça vous va ?

Le conseiller du patron de la compagnie qui fascinait les analystes financiers de toute la planète hésitait. Le journaliste était persuadé qu'il savait tout de l'affaire. Il ne pouvait continuer à s'enfermer dans le mutisme. Son article pouvait facilement le présenter comme un dissimulateur de première catégorie. Ou pire, un dirigeant mal informé.

Pascal Grosvallon obtint un délai de son interlocuteur. Pas de papier dans l'immédiat. En revanche il lui promit une réponse rapide. Il raccrocha. Il sentit la transpiration envahir son front. Il se passait quelque chose d'imprévu. Le souvenir des 600 millions lui traversa l'esprit. Il avait confié à sa secrétaire, qui le suivait depuis quinze ans dans le groupe, le soin de choisir l'employé qui devrait abriter pendant quelques jours cet argent. Était-il possible qu'un dérapage se soit produit ? Il composa fébrilement son numéro de poste.

— Alice ?

— Oui, monsieur.

Le calme de sa voix rassura Grosvallon.

— Vous vous rappelez cette histoire de transfert...

Il y eut un silence.

— Vous parlez de ce compte qu'il fallait approvisionner d'urgence il y a deux semaines ?

— Exactement.

— Oui, monsieur.

Sa sérénité était impressionnante. De toute façon, elle savait peu de chose. Aucune indication du montant des sommes en cause ne lui avait été donnée. Son rôle était simple : faire la liste des collaborateurs de la CGP ayant un compte à la Société générale, en choisir un, et transmettre ce nom à la secrétaire du directeur de la banque en charge des grandes entreprises.

— Quel nom aviez-vous finalement retenu ?

Alice de Montbazon ne put s'empêcher de sourire. Le vice-calife de l'empire se penchait brusquement sur les détails de l'intendance.

— Mademoiselle Laetitia Rossi, monsieur.

— C'est une plaisanterie, Alice ?

— Non, pourquoi ? dit-elle d'un ton contrarié.

— Mais... pourquoi elle ? dit-il en réussissant à rassembler des pensées qui lui échappaient.

— Elle est jeune, donc malléable, célibataire donc bien placée pour ne pas faire de confidences sur l'oreiller. Elle n'est pas syndiquée et sa situation financière est délicate. De surcroît, elle ne s'est jamais fait remarquer jusqu'ici. Il m'a semblé qu'elle correspondait parfaitement aux critères que nous utilisons dans ce genre de situation.

Pascal Grosvallon resta interdit. Aucune réplique fulgurante ne lui venait. Sur le papier, il n'y avait rien à lui reprocher.

— Mais...

— Mais quoi, monsieur ?

Il mesura tout à coup la situation dans laquelle il avait plongé la CGP. Il était depuis le début à l'origine de toute l'opération.

— Pourquoi ne pas avoir consulté la DRH ?

Il avait à peine fini sa phrase qu'il prit conscience de l'absurdité de sa remarque.

— Quelle bonne idée, monsieur. Nous aurions aussi pu lancer un appel à candidature : grand groupe souhaitant blanchir fortes sommes de provenance douteuse cherche employé bien disposé...

Il n'eut pas la force d'en entendre plus et coupa brutalement la communication. Il passa en revue plusieurs éventualités avant de se décider à composer le numéro de Benoît Chavaignac.

— Tu as une seconde ? Il faudrait que je te voie. Oui, maintenant, c'est relativement urgent...

14.

Une petite fête

Elles étaient toutes venues. Toutes les copines que Laetitia s'était faites dans le Groupe. Il y avait Sylviane, partie depuis la veille et revenue pour l'occasion. Mais aussi les secrétaires des principaux services. Dans la cafétéria du septième étage, la place ne manquait pas. Sur des tréteaux improvisés on avait disposé les jus d'orange, les sandwichs et les gâteaux cuisinés dans l'urgence ou achetés à la pâtisserie située en face de l'hôtel particulier de la Compagnie. Quelques bouteilles de rhum et de whisky étaient aussi très visibles. Une radiocassette crachait du rock and roll qui obligeait à élever la voix pour se faire entendre. La surprise était venue des cadres. Une dizaine d'entre eux se trouvaient là. Certains désorientés, ne sachant à qui parler. D'autres au contraire flirtaient ostensiblement avec des proies qu'ils avaient repérées depuis longtemps. Laetitia aperçut Macomba qui tirait par le bras le directeur-adjoint de la recherche, un timide quinquagénaire qui venait de perdre sa femme, pour l'entraîner au milieu de la salle avec l'intention manifeste de l'initier aux rythmes africains. « Allez, viens, sois pas coincé comme ça, lui disait-elle en élevant la voix, j'vais pas te manger. »

La plupart des employés de la direction financière assistaient eux aussi à la fiesta annoncée depuis la veille par des petites affiches collées un peu partout dans les couloirs du siège.

Au moment où passait un tube d'Elvis Presley, il sortit de l'ascenseur. Un couple curieusement assorti le croisa.

— C'était sympa cette petite nouba.

— Oui, heureusement que les connards du neuvième n'étaient pas là...

— Tu crois que c'est vrai cette histoire ?

Le type, qui faisait deux têtes de plus qu'elle, s'arrêta.

— C'est ça, Laetitia contrôle la CGP ! Mais tu rêves ! Et pourquoi est-ce que notre enfoiré de président ne viendrait pas lui présenter ses respects tant qu'on y est !

Il sursauta. Comment ces gens osaient-ils parler de lui en des termes aussi vulgaires ? Il s'était toujours cru populaire parmi le personnel. Était-il possible qu'il en aille autrement ? Il les fixa avec une rage à peine contenue. Ce fut elle qui le remarqua. Elle serra le bras de son compagnon et l'entraîna précipitamment vers les escaliers. La terreur qui était apparue sur son visage lui fit retrouver sa bonne humeur. Il entra dans la cafétéria et chercha l'héroïne du jour.

Au fond de la pièce un petit groupe s'était installé en rond sur des chaises pliantes et discutait avec vivacité. Il essayait de se rappeler à quoi elle ressemblait. Blonde, des cheveux courts, une façon bien à elle de redresser la tête avec un air de défi, un look BC-BG avec un ensemble rehaussé par un col Mao. Une fille qui semblait avoir les pieds sur terre. Il fallait l'espérer en tout cas. Sacré Grosvallon ! Lorsqu'il la reconnut, elle parlait, debout, à un interlocuteur invisible. Il entendait des bribes de phrases qui semblaient à nouveau témoigner d'une sympathie limitée pour le groupe. Il s'approcha, à pas lents, en partie dissimulé par une Africaine d'une corpulence invraisemblable qui haranguait son auditoire tout en agitant ses bras.

— Et tu sais quoi, Bimbo, disait celle-ci en s'adressant à Laetitia alors qu'il était juste derrière elle, le pat'on, on va lui en faire voir, moi je vais sortir mes gris-gris et on va lui jeter un sort ! Qu'est-ce qu'tu veux qu'y arrive ?

— Macomba, pique-le au bon endroit, ricana une petite rousse qui paraissait avoir l'esprit mal tourné et qu'il avait déjà remarquée au côté de Daniel Buté.

Il l'aperçut alors qu'elle se tournait dans sa direction.

— Oui, ça c'est marrant, dit Laetitia en faisant un geste explicite à l'intention de l'Africaine, on va lui enlever un peu de sa virilité et après on l'empaillera et on l'exposera dans le musée des horreurs du groupe !

L'assistance éclata de rire. Au fond, songea-t-il, le moment n'est pas mal choisi pour essayer de reprendre le contrôle de la situation.

De toute façon, maintenant qu'il était là, il n'avait plus guère le choix.

— Eh bien, comme vous y allez Laetitia, dit-il en affichant le sourire qu'il réservait habituellement aux analystes financiers new-yorkais, on ne sait jamais ce que ça donne ce genre d'expérience ! Vous voulez vraiment me transformer en légume ? Ça n'est pas très gentil.

Les têtes se tournèrent vers lui. L'Africaine laissa échapper un gémissement. L'assistance paraissait brusquement paralysée. La fête était finie. Qu'allaient-ils devenir ? Blâme, retenue sur salaire, lettre d'avertissement ? Expulsion ? Un silence de mort avait succédé au brouhaha.

— Vous savez, monsieur le Président, réussit à articuler Laetitia avec un sourire forcé, ici, ça se passe comme à votre conseil... chacun plaisante, c'est plus ou moins de bon goût mais ça nous détend à la fin de la journée...

L'allusion à la brillante intervention de Grosvallon lors de son intrusion dans le sanctuaire du neuvième étage était transparente. Cette fille a du sang-froid, se surprit à penser le président. Et de la repartie. Drôle de secrétaire. Pourquoi ne l'avait-on jamais remarquée ? Le moment délicat était arrivé. Il avait à peine quelques secondes pour sauver ce qui pouvait encore l'être.

— Écoutez, je suis descendu parce qu'on s'est mal comporté avec vous et je tenais à vous faire savoir que j'en étais désolé.

En la regardant droit dans les yeux, il essayait de voir s'il avait bien dosé son petit paquet d'excuses. Comment en était-on arrivé là ? Qui manipulait cette fille ? Elle ne s'était pas réveillée un matin en décidant d'entrer dans le capital de sa Compagnie ? Et puis, qui lui avait prêté l'argent nécessaire au-delà de sa mise de départ ? Il avait fait le calcul : le montant des actions achetées dépassait largement ce dont elle disposait. Il y en avait pour près de deux milliards de francs. Qui était derrière elle ? La discrète banque des coups tordus ? L'éternel concurrent, l'infernale société des Eaux du Midi ? Le raider du luxe ? La liste, hélas ! était longue. Sans compter ses amis personnels. Façon de parler.

L'enquête d'une officine spécialisée devrait permettre de comprendre ce qui s'était passé. Jamais, au cours de sa carrière, il ne s'était retrouvé dans une situation aussi invraisemblable. En tout cas, pour l'instant, il fallait la neutraliser. Le sort du groupe était en jeu. La motivation des équipes. L'image de la Compagnie. Le pire, c'était son impuissance. Un scandale pouvait se produire à n'importe quel instant. Il imaginait déjà les gros titres : « La secrétaire virée contrôlait l'Empire ! », « Il met à la porte son principal actionnaire ! » Et si on envisageait jusqu'au bout le scénario catastrophe, après la presse française viendrait la presse internationale, peut-être même la Une du *Wall Street Journal*. Ou celle de *The Economist*. Et lui « démissionné » par son conseil d'administration. Il les entendait déjà, doucereux, fielleux : « Nous n'avons rien à dire sur vos résultats, cher ami, mais cette lamentable affaire... Comment avez-vous pu perdre la maîtrise des événements à ce point ? » Le cauchemar.

— C'est gentil de me dire ça...

Il reprit ses esprits.

— ... mais ça ne me concerne plus directement...

De quoi parlait-elle ?

— ... après tout je ne fais plus partie des effectifs à l'heure qu'il est, monsieur le Président.

Cet imbécile de Grosvallon ! Au lieu de la prendre au sérieux, il avait fait l'important à la sortie du conseil d'administration. « Elle va se chercher un nouveau boulot, cette dingue, je m'en occupe personnellement. » Un seul coup de fil lui aurait permis de comprendre ce qui s'était passé. Mais non, trop malin le conseiller spécial ! Et décidément trop payé pour ce qu'il faisait Grosvallon. Trop d'erreurs ces dernières années. Trop en confiance l'ami de vingt ans ! Il allait falloir lui envoyer quelques décharges électriques à celui-là aussi. Ou alors nommer cette Africaine DRH et lui confier le Grosvallon. Juste pour s'amuser.

— Écoutez, Laetitia, dit-il en donnant à sa voix une intonation chaleureuse qui pouvait passer pour authentique, il y a eu à la fois un malentendu et des maladresses de mes collaborateurs, je tiens à vous présenter mes excuses, et cela ne me gêne pas du tout que ce soit devant vos amis...

L'auditoire écarquillait les yeux. Le président aurait baissé son pantalon, que l'instant n'aurait pas été plus saisissant.

— Écoutez, ce qui est fait est fait, dit la nouvelle actionnaire d'un ton posé. Quant à votre entourage, il est ce qu'il est, on ne va pas pleurer sur les pots cassés. Mais il faudra revoir pas mal de choses dans la boîte, vous savez...

Sa réaction l'agaça. Il venait de s'humilier devant elle et tous ces minuscules employés et elle en voulait encore plus. La partie qui s'annonçait serait plus serrée que prévu.

15.

Le bureau

Alors qu'elle franchissait le porche du siège de la Compagnie, Laetitia Rossi passait en revue les tâches urgentes qui l'attendaient ce lundi matin. Elle remarqua tout à coup le mur traversé de nombreuses lézardes. En s'approchant, celles-ci ressemblaient plutôt à des fissures. Personne ne semblait s'en soucier. La jeune femme se promit d'en dire un mot aux gens de la DRH même si cela n'entrait pas dans leurs attributions. Ce serait encore meilleur : Écoutez, Daniel – important ça de lui donner son prénom comme ils le font avec nous –, donc Daniel, demandez donc aux services généraux d'aller faire un tour en bas et de jeter un œil sur la peinture, ils y feront des découvertes, croyez-moi. Le tout d'une voix bienveillante. Ne pas jouer à la grande dame. D'ailleurs, ça risquait de ne pas durer longtemps.

— Bonjour, madame Rossi.

C'était l'une des deux hôtesses d'accueil, la plus jeune, sans doute en CDD à cause de la pression psychologique insoutenable que faisaient peser les requins de Wall Street sur les braves types de la direction générale.

— Qu'est-ce qui vous arrive ?

La brune se troubla.

— Mais rien.

— Je m'appelle toujours Laetitia vous savez ?

— Oui bien sûr.

— Ne me dites pas...

Ils avaient évidemment donné des instructions. Champagne, cotillons et protocole pour la nouvelle actionnaire issue du peuple. La traiter en VIP. Il s'agissait de se concilier ses bonnes grâces. Virée un jour, réembauchée le lendemain, hautement considérée aujourd'hui. Elle n'avait pas été habituée à une telle vivacité de réaction depuis qu'elle travaillait dans le groupe.

— On vous l'a demandé quand ?

— Eh bien je ne sais pas si...

— Ne vous inquiétez pas, j'étais au courant. Alors quand ?

— Ce matin, quand on est arrivées...

— Qui ?

— Monsieur Grosvallon.

Encore lui. Il devenait fatigant cet homme. Elle fit un signe amical à l'hôtesse. Devant l'ascenseur, elle songea à Luigi Signorelli. Elle avait trouvé son nom dans le rapport d'activité. Sa photo le rajeunissait un peu. C'était ici, quelques jours plus tôt, qu'elle l'avait croisé. Une trop brève rencontre. Elle hésitait à le contacter. Mais au fond, elle savait qu'elle ne prendrait pas d'initiative. Étant donné la situation, elle aurait l'air d'une fille facile. Elle ne put s'empêcher d'en éprouver un sentiment de regret.

Dans le couloir du septième étage elle aperçut de loin Macomba. Ce n'était pas son nom, ni son prénom. Juste un surnom qu'on lui avait trouvé lors d'une fiesta un peu arrosée.

— Hé ! T'as l'air en forme la nouvelle chef !

— Ça va.

— On parle de toi ce matin, la visite du pat'on hier a fait causer. D'ailleurs le caillou t'attend, mais j'crois que c'est pour du bon aujourd'hui.

De fait, Daniel Buté était là, oisif, lui tournant le dos. Tandis que Macomba reprenait le chemin de la direction du matériel, le service où elle sévissait lorsque d'impérieuses obligations ne l'appelaient pas à quitter son poste de travail, elle s'approcha de lui.

— Ah ! vous voilà Laetitia.

C'est à cet instant qu'elle comprit que sa vie allait changer. Plus que les paroles, c'était le ton de la voix qui marquait son nouveau statut. Quelque chose de chaleureux, de réjoui, de respectueux aussi. Comme s'il attendait depuis longtemps ce moment où il échangerait quelques mots avec elle. Elle le frôla sans émettre plus qu'un grognement qui pouvait difficilement passer pour amical, et salua Sylviane.

Elle le fixa d'un air narquois.

— Vous voulez peut-être me parler de mes indemnités ?

— Oh, vous savez bien que je n'y étais pour rien. Ça venait... enfin c'est une histoire terminée. D'ailleurs, la lettre n'était même pas partie, alors ! Moi, au contraire, j'essaie d'arranger les choses et croyez-moi ça n'est pas toujours facile.

— On va vous plaindre.

— Vous pourriez ! Si vous saviez...

— Si je savais quoi ? dit Laetitia d'une voix trahissant sa curiosité...

— ... comment ça se passe...

Les deux femmes se taisaient. Comme la plupart des gens, l'adjoint du DRH ne supportait pas les silences prolongés.

— Eh bien là-haut, fit-il en désignant le plafond, un jour il faut recruter, le lendemain il faut dégraisser parce

que le cours a perdu 0,54 %, le surlendemain il y a trop
de bas salaires, après on est trop bien payés... Ils changent
d'avis pour une bricole. Mais je ne venais pas vous voir
pour ça.

— Dommage.

— On en reparlera si ça vous intéresse. Non, je voulais
vous montrer votre nouveau bureau.

Les deux femmes échangèrent un regard éberlué.

— Quel bureau ? articula l'intéressée.

Daniel Buté prit l'air solennel.

— Le président veut vous avoir plus près de lui et vous
a affectée au huitième.

— Mais où ? Ils sont déjà tassés comme des sardines.

— Dans l'ancien bureau de Grosvallon.

Laetitia s'assit sur son siège et lui tourna le dos.

— Ce genre de plaisanterie ne m'amuse pas.

Son interlocuteur s'approcha d'elle.

— Mais je vous jure que non ! dit-il sans dissimuler sa
gêne, le président...

— Vous m'emmerdez avec votre président !

— ... a vraiment décidé de vous donner ce bureau. Pascal devait de toute façon en changer.

— Écoutez Daniel, j'ai du travail.

L'humaniste à la longue figure semblait perdre ses
moyens.

— Je comprends votre surprise, mais c'est comme ça
que ça marche dans les hautes sphères, il faudra vous y
faire. Si vous ne me croyez pas, appelez Grosvallon sur son
nouveau poste, c'est le 3951, et...

La sonnerie rauque du téléphone. Laetitia saisit le
combiné.

— C'est toi ?

Son complice de la BNP. Jusqu'à présent il ne s'en était pas trop mal sorti. Il l'avait fait pénétrer par effraction dans le sérail comme prévu. Ce n'était sûrement pas si facile. Il en serait récompensé. Peut-être dès ce soir.

— Jérôme, je peux te rappeler, je suis en rendez-vous.

Il parlait si fort qu'elle éloigna le combiné de son oreille.

— C'est cet argent, il faut qu'on se parle. Ça ne peut plus durer, mon directeur va découvrir que j'ai pris des positions délirantes et alors... Écoute trésor, j'ai fait ça pour te faire plaisir, mais maintenant...

— On a perdu ?

Il y eut un silence à l'autre bout du fil.

— De quoi parles-tu ?

— De l'action, banane ! Elle a évolué comment depuis qu'on l'a achetée ?

— Ça n'est pas la question.

— Mais c'est celle que je te pose.

Depuis qu'elle avait couché avec lui le soir du virement, pour stimuler son audace, elle semblait avoir complètement détraqué son système nerveux. Ce garçon apparemment flegmatique s'était révélé un cyclothymique grave. Il la harcelait d'appels, oscillant entre les proclamations enflammées et les supplications de rendre l'argent à la Société générale, avec excuses circonstanciées, pardon messieurs, un instant d'inattention, un transfert maladroit, non bien sûr pas du tout envie de rafler ce qui ne m'appartient pas, oublier l'incident, ne pas me poursuivre. Merci beaucoup, pas son genre de beauté. Maintenant il fallait aller au bout de cette histoire.

Daniel Buté commençait à donner des signes d'agacement.

— Le cours a monté, dit la voix du déprimé.

— De combien ?

— 4 %.

Elle essaya de calculer ce que représentait ce petit bonus inattendu.

— Ça ferait...

— Arrête ! Je t'ai déjà dit que les marchés financiers ne fonctionnent pas comme ça ! On peut perdre dès demain. On est engagés pour deux milliards tu réalises ? Une baisse de 10 % et tu serais dans le rouge pour deux cents millions ! Tu les as toi ? Moi non ! Et figure-toi que moi j'ai encore besoin de travailler pendant quelques années avant de prendre ma retraite...

Elle remuait les chiffres dans sa tête. Elle avait gagné presque cent millions en trois jours. Elle essayait de se représenter cette somme monstrueuse sans y parvenir.

— Excuse-moi, je dois te laisser, j'ai quelqu'un de la direction dans mon bureau, je te rappelle.

Elle raccrocha sans lui laisser le temps de protester. Il fallait se décider pour ce bureau. Aller là-haut, parmi les hyènes, parler bas, jouer à la petite carriériste si contente de sa promotion fulgurante ? Et les copines ? Elle devinait leur réaction. Tout ça pour redescendre plus vite que la lumière dans quelques jours ?

— Je reste.

Son interlocuteur sursauta.

— Pardon ?

— J'ai dit je garde mon bureau, c'est tout.

— Attendez, je crois que vous n'avez pas bien compris...

— Oui je sais, dit-elle en levant les yeux au ciel d'un air las, le président a décidé, le président souhaite que, eh bien le président, son bureau, il peut se le mettre quelque part, voilà, point final, d'accord ?

— Vous êtes folle.

— C'est possible, on me le disait déjà au cours élémentaire ! Bon maintenant je ne voudrais pas vous chasser mais il faut que je m'y mette.

Le téléphone à nouveau.

— C'est la catastrophe !

Les nerfs fragiles du grand financier venaient de lâcher.

— Écoute...

— Non ! c'est toi qui vas m'écouter pour une fois ! hurla l'autre au bord du chaos mental, mon directeur vient de me convoquer dans son bureau. Tu comprends ce que je te dis ?

— Comment sais-tu...

— Ça ne peut être que pour ça, il vient de s'en rendre compte c'est évident. Je vais être viré, tu es contente...

Sa voix était gémissante maintenant. L'aigle de la haute finance n'était pas à la hauteur. Il faudrait lui trouver un remplaçant. Les affaires ne pouvaient pas être à la merci des états d'âme d'un homme aussi sensible.

— ... et pour trouver un boulot après un truc pareil, je peux me brosser, je serai grillé partout...

— Voilà ce que tu vas faire, dit-elle d'un ton sans réplique. Tu vas le voir, tu l'écoutes gentiment, sans rien dire, tu entends ? À mon avis ça n'a rien à voir. Il avait l'air pressé au téléphone ?

— Non, enfin pas vraiment.

— Tu vois ! Je te quitte et rappelle-moi sur mon portable pour me raconter comment ça s'est passé.

— Merci trésor, sans toi je ne sais pas comment je ferais...

Elle sourit. Sans moi tu aurais une vie bien tranquille, sans soucis. C'est d'ailleurs pour ça que tu es venu me chercher à ce dîner.

— Laetitia, c'est votre dernier mot ?

L'adjoint du DRH espérait encore un revirement.

— Oui.

— J'espère que vous savez ce que vous faites. Je vais transmettre le message.

— À plus tard.

Sylviane, qui était restée silencieuse jusque-là, se pencha vers son amie.

— Pourquoi fais-tu ça ? C'est par rapport à moi ? Si c'est ça c'est absurde, il faut d'abord...

— Écoute, tout ça est une histoire démente que tu connais aussi bien que moi. Je ne sais pas comment ça va se terminer mais je ne vois pas l'intérêt de m'exposer encore plus.

Quelques minutes plus tard, une tornade noire pénétrait dans le bureau suivie par quelques collègues de l'étage.

— Qu'est-ce que tu fais, pauv'e petite Blanche sans tête ?

— Écoute, Macomba.

— Laisse parler la sagesse africaine, s'il te plaît. Le serpent lubrique qui sort de ta case crie pa'tout qu'tu refuses un gros poste chez les c'ocodiles, c'est vrai c'te bêtise ?

Les désagréments surgissaient toujours là où on ne les attendait pas. De quoi se mêlait-elle ?

— Ils veulent juste m'avoir sous la main pour me mettre la pression.

— Oh ! écoutez-la la demoiselle à la peau pâle, ils vont lui donner la pression ! Dix mille balles de plus, un bureau de grand singe, le parking, tout ça c'est la pression mes amis !

Les secrétaires qui avaient accompagné l'Africaine éclatèrent de rire.

— C'est que c'est dur de vivre tout à côté de ces zoizeaux vous savez, petits vins de notre cuvée, voyages, chè'e Laetitia par-ci, chè'e amie par-là, voyez d'ici le supplice ! c'est pas possib'e, vaut mieux rester là où on est, comme ça pas de changement. Et on peut continuer à se plaindre de not'pauvre vie qu'est pas facile !

La truculente Sénégalaise aurait sans doute poursuivi sa tirade si la sonnerie habituelle ne s'était manifestée.

— Oui ?

— Laetitia ?

C'était Évelyne.

— Le président voudrait vous voir.

— C'est que...

— Maintenant.

Vaincue, Laetitia soupira.

— D'accord.

Elle regarda Macomba d'un air mauvais.

— Tiens, c'est ton ami le grand singe qui me convoque. Tu vois, il ne peut déjà plus se passer de moi.

16.

Le PPSR

Benoît Chavaignac avait quelques petites manies. L'une d'elles était de fumer le cigare sans se soucier de son entourage. Il appréciait particulièrement les imposants Cohiba, surtout lorsqu'il éprouvait le besoin de se calmer. Il lâcha un épais nuage en direction de son souffre-douleur favori, remplissant l'arrière de la Mercedes S-320 d'un brouillard à couper au couteau.

— Je tiens à te féliciter, brillante opération, vraiment.

Avec ses lunettes carrées, trop grandes pour son visage, son air de chien battu et son menton démesuré, Pascal Grosvallon aurait pu faire pitié. Mais dès qu'il parlait, la sympathie disparaissait à l'instant, tant il dégageait un sentiment d'arrogance. De toute manière, le président d'une société de soixante douze mille salariés, quatrième capitalisation boursière de la place parisienne, un homme qui était aussi coté à Francfort, New York et Tokyo, un dieu vivant des médias, le généreux mécène du festival de Bayreuth, de la Scala et du Musée du Louvre n'était pas accessible aux sentiments ordinaires. Surtout lorsqu'il s'agissait de ses proches collaborateurs.

— Qu'est-ce que tu disais déjà ? Ah ! oui, c'était un PPSR, un petit plan sans risques, il suffisait de trouver

111

n'importe qui portant l'affaire à son insu pendant quelques jours et ni vu ni connu : on sortait l'argent d'un compte exposé pour le récupérer ensuite en douceur... Résultat : on a une fêlée sur les bras, un journaliste sur le dos, et on s'est fait repasser de 600 millions. Félicitations, mon ami...

À son air penaud, on voyait que Grosvallon, affalé sur la banquette, aurait voulu disparaître sous terre.

— Il fallait bien brouiller les pistes. Si le juge avait gelé notre compte « Marie-Antoinette » on était foutus : c'est par notre filiale ouzbek que sort le liquide et ça nous est bien utile en temps habituel. Ce type aurait tout de suite compris que ce cash n'entre officiellement nulle part. Et il aurait transmis à la COB, peut-être même à nos amis new-yorkais de la SEC, et là on se serait retrouvés avec le pantalon sur les chevilles !

— Est-ce qu'il aurait osé ?

— Tiens, il se serait gêné !

— N'empêche que pour un risque très hypothétique on a monté une combine tordue qui a magistralement foiré ! Voilà ce que je constate ! Et cette saloperie de juge n'a apparemment même pas l'intention de mettre le compte sous séquestre. Non, la vérité c'est que tu as paniqué.

Le conseiller spécial se racla la gorge pour se donner du courage.

— Tu étais d'accord, dit-il de la voix du condamné qui aperçoit la chaise électrique.

Chavaignac s'agita au fond de son fauteuil en cuir.

— Quand on me présente une solution dont on me dit qu'elle est parfaite, évidemment que je suis d'accord, imbécile ! Il ne faut pas sortir de Polytechnique, ce qui est pourtant ton cas, pour imaginer qu'une fille payée une misère allait vouloir embarquer un pactole pareil, non ?

L'autre gémit.

— Elle a quand même un culot incroyable, c'est de l'escroquerie ! Et en plus, elle entre tout de suite dans le capital, qui pouvait le prévoir ?

— Tu es payé pour ça, et bien ! je te le rappelle. Au fait tu as prévenu la banque ?

— Naturellement. Ils vont me faire une proposition sous peu... Évidemment, ils ne sont pas très contents.

— Quand il s'agit de prendre leurs commissions, ils ne discutent pas autant.

— Je sais bien, mais là il a fallu insister. Ce qu'ils n'aiment pas, c'est l'idée de passer pour des idiots alors que leur informatique est, paraît-il, irréprochable.

— Ah, dès qu'il faut rendre un petit service, il n'y a plus personne, marmonna Chavaignac d'un air sombre. En tout cas, dès qu'on aura réglé le problème, il faudra la surveiller de près.

— Comment veux-tu...

— Débrouille-toi, je ne veux pas le savoir.

— Mais jusqu'où...

— C'est ton problème. Autre chose, tu sais ce que me disait Évelyne quand elle a appelé tout à l'heure ?

— Non.

— Figure-toi que ta petite copine nous la joue grande princesse...

— Ah bon ?

Benoît Chavaignac se pencha vers son complice.

— Prends l'air intelligent quand tu me parles, ça me ferait plaisir, pour une fois... Eh bien, crois-le ou pas, elle ne veut pas de ton bureau.

Pascal Grosvallon sursauta comme si on venait de lui refuser de toucher ses stock-options.

— Mon bureau ?

— Oui, j'avais chargé Buté de le lui proposer.

113

Le directeur de la division Médias-Internet jeta un regard noir vers cet homme qu'il servait depuis si longtemps.

— Tu as osé faire ça ?

— Parfaitement. Il nous faut un peu plus de brassage social ! Nous n'avons que des énarques incapables de gérer une boîte. Ou alors des HEC inaptes à comprendre la psychologie du moindre sous-ministre. Franchement, elle ne peut pas être plus décevante... D'ailleurs elle a du caractère cette fille. Je lui propose de s'installer à l'étage de la direction générale et elle me dit merde ! Qu'est-ce qu'elle veut me prouver ? Qu'elle ne va pas entrer dans le système, comme les autres ? C'est sympathique ce côté taureau qui refuse de mourir dans l'arène, c'est dommage qu'on ne puisse pas...

On entendit un bruit étouffé. Le président de la CGP s'interrompit et attrapa son portable.

Après quelques onomatopées il raccrocha.

— Elle est là.

— Où ?

— Elle m'attend au bureau.

La Mercedes entra dans la cour intérieure du somptueux hôtel particulier de la Compagnie. Chavaignac sortit de la Mercedes, spécialement blindée d'après les instructions du service de sécurité, et se dirigea vers son ascenseur privé. Pascal Grosvallon s'apprêtait à le suivre lorsque le président de la CGP lui fit un signe sans ambiguïté. Pour lui ce serait le monte-charge des employés.

Arrivé au neuvième étage, le président accéléra le pas.

Sa secrétaire se souleva légèrement en l'apercevant.

— Je me suis permis..., commença-t-elle en désignant le sérail présidentiel.

— Vous avez bien fait, Évelyne.

Il poussa la porte avec une délicatesse à laquelle il ne l'avait pas habituée. Elle était là, de dos. Ses cheveux, coiffés court, émergeaient du siège. Mais on distinguait son profil, car elle contemplait l'immense terrasse qui prolongeait le bureau, au-delà d'une baie vitrée qui avait résisté déjà deux fois à un tir de balles réelles commandé par le service de sécurité. Une jolie fille, vraiment.

— Bonjour Laetitia.

Ne pas mégoter sur les attentions maintenant que la partie avait débuté.

— Bonjour, monsieur le Président.

Elle lui avait décoché un sourire radieux qui le désorienta. Elle le dévisageait sans paraître impressionnée. Sa bouche attira son attention. Des lèvres mauves comme il n'en avait jamais vu. Curieuse personne, décidément. Mais la situation était assez compliquée comme ça.

— Alors, votre nouveau bureau vous plaît ?

— Je suis désolée, mais j'ai dit à monsieur Buté que je préférais rester là où je suis.

— Ah bon, dit-il en soulevant les sourcils pour essayer de l'impressionner. Et pourquoi ?

— C'est simple, je suis secrétaire et je ne vois pas ce qui justifierait que j'aie brusquement un bureau de directeur.

— Ça n'est pas la question...

Le visage de Chavaignac se ferma. Sincère et idiote ou comédienne et diablement astucieuse : il n'y avait pas d'autre choix.

— Si, justement. Franchement j'espère que vous ne m'avez pas fait venir pour parler de ça.

— Non, dit-il, vexé, je voulais qu'on se connaisse mieux tout simplement puisque vous êtes appelée à jouer un rôle dans le fonctionnement de cette entreprise.

— N'exagérons rien, fit-elle avec une modestie qui lui parut assez étudiée.

C'était le moment de voir ce qu'elle avait dans le ventre.

— Excusez-moi de poser une question un peu directe mais... enfin comment se fait-il que vous n'ayez pas... Ah ! je patauge, aidez-moi...

Elle prit un air innocent. Elle avait réfléchi à la situation et était résolue à s'en tenir à la langue de bois, façon CGP.

— Je ne vois pas...

— Vous n'êtes pas très coopérative. En deux mots, cet argent que vous avez investi chez nous, ce à quoi je suis naturellement sensible...

— C'était bien naturel de ma part, dit-elle avec un large sourire.

— Enfin... c'est peut-être indiscret...

— Je crois, oui.

— ... mais c'est quelque chose dont vous disposez depuis longtemps ?

Le président de la CGP attendait avec curiosité sa réaction.

— Je me demandais, monsieur le Président...

— Benoît.

— Si vous voulez. Donc je me demandais, Benoît, fit-elle en insistant sur le prénom comme pour le défier, combien représentent vos stock-options, filiales comprises, au cours d'hier soir, à savoir 123 euros ou 806 francs et des poussières.

— Mais...

— Ça vous gêne d'en parler ?

— Non, pas du tout, mais enfin...

— Vous voyez, ça n'est pas facile de se confier des petits secrets quand on ne se connaît pas bien.

Voilà un missile qui n'allait pas être facile à piloter. Autant changer de registre. Il y avait après tout des problèmes plus urgents à traiter.

— Un point à zéro, vous n'avez pas votre langue dans la poche, Laetitia.

— Disons que je sais m'en servir, dit-elle en baissant les yeux.

Benoît Chavaignac était habitué à commander. À compter. À couper des têtes. À séduire aussi mais des banquiers, d'autres présidents, des ministres parfois. Une secrétaire, c'était la première fois. Le langage impertinent de cette personne le déconcertait. C'était une nouvelle expérience, pas du tout désagréable, d'ailleurs. La seule secrétaire qu'il pratiquait, en fait, c'était la sienne, une femme sérieuse, réservée et dont il ne savait rien. Cette Laetitia, quel âge pouvait-elle avoir ? 27, 28 ans ? Ce curieux mélange apparent de timidité et d'audace l'intriguait.

— Que comptez-vous faire maintenant ?

— Vous parlez de mes actions ? dit-elle, au bord du fou rire.

Quelle allumeuse, se dit-il. Partagé entre l'excitation et l'irritation, son interlocuteur se pencha vers elle.

— C'est en effet ça qui m'occupe. Pour l'instant.

Très bien sa chute. Lui montrer que lui aussi savait jouer à ce petit jeu-là.

— Eh bien je compte les garder. C'est un bon investissement, j'ai déjà gagné 4 % en quelques jours.

— Ça peut baisser de 15 % demain.

— Je sais, ça ne me gêne pas.

Il paraissait clair qu'elle n'imaginait pas d'où était venu son petit pactole. Ce qui le surprenait, c'était son attitude. Qu'espérait-elle ? D'où lui venait son aplomb ?

117

— Donc votre présence à moyen terme dans notre capital est une hypothèse légitime ?

— Absolument.

Il s'empêcha de sourire.

— Vous verriez un inconvénient à ce que ce soit officialisé ?

Elle comprit qu'elle était tombée dans un piège, mais sans distinguer lequel.

— Pourquoi pas ? Ça dépend des conditions.

— Je pensais à un pacte d'actionnaires très classique.

— Il faut que je consulte mes avocats.

Elle apprenait vite. Ses avocats ! Les trois collègues de bureau sans doute.

— Mais sur le principe ?

— Je vous l'ai dit : pourquoi pas ? Ça suppose que le groupe accepte de considérer certains points.

Elle reprenait la main. Vraiment futée. Dommage que. Ne pas y penser. Et cette paire de seins ! Une vraie provocation. Elle avait bien choisi sa robe cette petite garce, on ne voyait qu'eux.

— C'est-à-dire ?

— Il y a trop de licenciements abusifs.

— C'est la vie de toute société, Laetitia, vous vous en rendrez compte avec le temps.

Elle hésitait à se lancer.

— Vous avez un problème ?

— Oui.

— Allez-y.

— Eh bien pour ne citer qu'un exemple, mais il y en a d'autres, ma collègue Sylviane Dufourt a reçu sa lettre de licenciement il y a quelques jours, soi-disant parce que la direction financière est restructurée après le départ de Jean-Louis Maraval.

— C'est une négligence de la DRH qui sera réparée.

— Une...

Laetitia Rossi ne trouvait plus ses mots. Ah, c'est comme ça que ça se passait au neuvième étage. Le premier bouc émissaire venu faisait l'affaire ?

— Cette... négligence, comme vous dites, va semble-t-il s'appliquer à d'autres personnes du service.

— Laetitia, je vais vous faire une confidence. C'est Maraval lui-même qui, avant son départ, nous avait fait ces suggestions. Cela semblait logique d'en tenir compte, non ?

Aucun trouble n'apparut sur son visage.

— Mais nous sommes disposés à discuter si... enfin à envisager des solutions acceptables sur le plan humain.

— Ce n'est pas très précis.

— Vous êtes très exigeante !

— Non, mais puisque vous me dites que mon avis vous intéresse...

Benoît Chavaignac réprima in extremis une grimace malvenue.

— Il n'y a pas de sujet tabou, dit-il en reprenant une formule qui lui avait beaucoup servi tout au long de sa carrière.

— Bien, je vous fais confiance, dit-elle en le fixant avec insistance. Il y a tout de même un dernier problème.

— Quoi encore ?

Elle ignora son agacement.

— Le cas de ces personnes qui n'ont aucune évolution depuis des années parce qu'elles sont mal vues, ou syndiquées...

— Ça arrive partout.

— Certes. Mais dans le dernier rapport d'activité vous citez l'exemplarité de la dimension sociale de la CGP, l'absence de discrimination, la parité hommes-femmes à tous les échelons...

On écrit toujours trop, songea-t-il. Il faudrait revoir à la baisse ces proclamations démagogiques. Elles avaient eu leur utilité mais les temps avaient beaucoup changé.

— Je crois que nous essayons de tenir les engagements de notre charte.

C'était le moment d'essayer de sauver Macomba et de l'extraire de son placard.

— Alors pourquoi une employée sérieuse comme madame Diriou végète-t-elle depuis dix ans à la direction du matériel où elle s'occupe de remplir des fiches de location de voiture alors qu'elle a suivi trois formations, une en PAO, l'autre en anglais et encore une en graphisme ?

— Sur soixante douze mille collaborateurs, il peut arriver...

— Mais elle a fait sept demandes de mutation ! Et la dernière fois qu'elle a été reçue par la DRH, c'était il y a trois ans. Moi je dis que c'est se moquer du monde !

Une vraie pasionaria quand elle s'emballait. Trois ans, évidemment, ça paraissait un peu long. Sans doute encore une militante syndicale qui se croyait tout permis.

— Je ne connais pas cette personne, fit-il très sérieusement, mais pour vous être agréable, et je le précise à titre tout à fait exceptionnel, nous allons faire remonter son dossier, et s'il y a une erreur elle sera corrigée.

— Ce qu'elle voudrait, c'est travailler à la direction internationale. Sur l'Afrique. Elle est française, d'origine sénégalaise.

Il faillit lever les yeux au ciel mais réussit à se maîtriser. Une Noire maintenant à qui on allait donner une promotion fulgurante. D'ici peu le conseil devrait se mettre à la page : 50 % de femmes dont un tiers d'Africaines, 12 %

d'homosexuels, 11 % de communistes et l'égalité des chances serait enfin respectée. La tête de ses administrateurs !

— Nous allons regarder de près le cas de votre amie.

— Ce n'est pas parce que c'est mon amie, se rebiffa-t-elle.

— Non bien sûr. Mais ça ne nuit pas.

Il regarda ostensiblement sa montre. Ce geste grossier la surprit.

— Je vais devoir aller à une réunion. Un dernier point...

— Je peux dire encore un mot ?

— Je n'ai pas eu l'impression de vous censurer, dit-il en grimaçant.

— Il y a une mauvaise ambiance dans beaucoup de services pour une raison absurde...

— Qui est ?

— ... et ça ne coûterait rien à la compagnie de tenir compte de l'avis des salariés.

— Je vous écoute.

— Le nouveau règlement intérieur.

La décoration des bureaux revenait sur le tapis. Et voilà, tout juste ! Benoît Chavaignac était effaré, en l'écoutant, de penser que tous les efforts consentis pour adapter ces gens aux contraintes de l'époque ne servaient à rien. On avait beau leur expliquer qu'il fallait désormais être mobile, souple, pouvoir changer de bureau, de langue de travail, de matériel informatique, à quoi s'accrochaient-ils avec l'énergie du désespoir ? À leurs photos de vacances, à leurs ours en peluche, à leurs gris-gris ! Navrant. Ces gens étaient navrants. Bien sûr, tout le monde avait ses habitudes. Et ses blocages. Il songea à sa fille de 9 ans qui le traitait d'homme de Neandertal. Quelle insolence les enfants d'aujourd'hui. C'est vrai il ne savait pas se servir d'un ordinateur. Il aurait été bien incapable d'envoyer un e-mail ou même de passer un fax. Évelyne faisait ça si bien, et depuis si longtemps. Mais il était le président, non ?

— Bon d'accord on ajoutera une clause permettant à ceux qui en feront la demande...

Elle commençait à comprendre les astuces du neuvième étage.

— Ce serait mieux de dire qu'on a le droit simplement d'avoir des objets personnels sur son bureau.

— J'accepte le principe. Mais pas d'affiches partout. On n'est pas dans une agence de voyages.

— Le grand capital finit toujours par l'emporter !

Il éclata de rire.

— Vous êtes impayable ! Et vous, avec vos actions, vous êtes quoi ? Bon, on a fini ?

— Une dernière chose... Non, ne vous énervez pas, Benoît, c'est rien du tout.

— Alors là j'ai peur.

— Le problème, finalement, c'est qu'on ne peut pas se parler directement dans l'entreprise.

Il manqua s'étouffer.

— Ça c'est la meilleure ! Et le comité d'entreprise ? Le comité de groupe ? L'évaluation annuelle avec les chefs de service ?

— Mais tout ça c'est guindé. On se fait des salamalecs et puis il y a les syndicats, c'est tout de suite politique.

— Si vous avez mieux...

— Cela fait un moment que je pense à quelque chose.

— Faites-moi profiter de vos lumières, dit-il en fixant de plus en plus ouvertement son décolleté.

— Une sorte de comité informel où les employés pourraient vous parler à vous personnellement.

— Ça risque de me prendre un peu de temps !

— Je le sais qu'on est nombreux.

— Mais alors...

— Bon, je vais simplifier. Ce comité, ce serait moi et mes copines, voilà. On se verrait de temps en temps, discrètement. Je vous assure que...

Il lui coupa la parole en prenant un air pénétré. De la façon dont il gérait son temps dépendait le sort des soixante douze mille fourmis qui s'activaient chaque jour pour faire jouir les analystes de Londres et les rentiers de Carcassonne.

— Laetitia...

Un temps. Bien lui montrer à quoi elle s'attaquait.

— C'est de l'enfantillage.

Tout était dans la voix. Apparemment bienveillante. En réalité d'une insupportable condescendance. Ma pauvre chérie, vous ne savez pas de quoi vous parlez. Les ours en peluche, le prix du ticket-restaurant, voilà votre domaine. N'essayez pas de jouer au grand manager, laissez faire ceux qui savent.

Elle encaissa le coup.

— Comme vous voulez.

— Si vous avez à me parler vous venez, dit-il en reprenant la voix attentionnée du chef débordant d'humanité, c'est plus simple, non ?

— C'est vous qui décidez.

— Une dernière chose, Laetitia, enfin deux, plutôt. Même trois. D'abord vos fonctions. Vous avez des idées ?

— J'ai demandé récemment à être affectée à la division Médias.

— Avec Grosvallon ?

— Je n'avais pas bien réalisé.

— Ça risque de provoquer un sacré bug, comme dit Pascal. Et en y réfléchissant ?

— Moi ça ne me dérange pas. D'ailleurs j'ai travaillé le dossier Rio-Mondo. À ce sujet, ça ne me regarde pas mais je me demande si le prix n'est pas un peu élevé, parce que...

— On n'a pas encore fait le chèque, dit-il en pensant à la meilleure façon de la neutraliser tout en lui donnant l'impression de veiller sur elle. Et puis ce sont des affaires très techniques.

Elle commençait à se familiariser avec leur langue de pute. Là le décryptage était facile : pas pour toi ma chérie. Qu'est-ce que t'y connais aux comptes ? À la télévision ? Au Brésil ? Rien. Alors reste dans ton parc à jeux.

— Vous pourriez être plus utile ailleurs.

Chavaignac passait en revue les services. Traitement des déchets ? Elle n'y connaissait rien. La presse du groupe : mais pour y faire quoi ? Et puis ce n'était pas exactement le moment de l'exposer aux médias.

— Au fond, vous savez, je ne suis qu'une petite actionnaire.

Sa remarque le fit sursauter. Depuis des années les chroniqueurs financiers, les associations d'épargnants lui reprochaient de les négliger, de les mépriser. Voilà une tâche exaltante qui lui irait bien et qui pourrait même se révéler utile.

— Je pense à quelque chose d'idiot.

— Impossible, fit-elle avec un sourire complice.

Il ne put s'empêcher d'être sensible à la flatterie.

— Au fond, comme vous dites, j'ai l'impression que vous avez un côté redresseur de torts, défenseur, défenseuse, on ne sait plus comment dire aujourd'hui, de la veuve et de l'orphelin.

— Ce n'est pas faux.

— Alors pourquoi ne pas intégrer la communication en charge justement de l'actionnariat populaire ? Vos qualités de dynamisme, de franchise feraient merveille. Et puis ce service tourne un peu à vide depuis des années. À terme il faudrait réfléchir à une nouvelle organisation.

124

La carotte maintenant, et sans le bâton. Encore un peu de champagne ? Directrice, ça vous conviendrait ? Vous dites quoi ? Virée ? Mais il n'en a jamais été question chère amie, c'était une négligence, enfin je veux dire une erreur, non une faute, un crime de ces imbéciles de la DRH, je n'étais pas au courant. D'ailleurs vous voyez comme je m'occupe bien de vous.

— Vous me laissez un peu de temps pour y penser ? répliqua-t-elle, dévorée de l'envie d'accepter sur-le-champ.

— Bien sûr. Vous me donnez votre réponse disons... demain ?

— C'est court.

— Vous êtes une femme de décision.

— D'accord.

— Ah, une dernière précision, qui va de soi mais autant la mentionner. Il est possible, ça m'étonnerait mais on ne sait jamais, que les médias s'intéressent à vous tout à coup. Une se... enfin une salariée qui se transforme en actionnaire de référence ça fait un angle de papier, comme ils disent. Il faut gérer tout ça avec beaucoup de prudence. Je voudrais que vous n'ayez aucun contact avec les journalistes et que vous me rendiez compte directement de toutes les propositions qu'on pourrait vous faire. Inutile d'en parler à la direction de la Communication, même si vous travaillez là-bas. On est clair sur ce point ?

— Aucun problème.

En se levant elle fit tressauter son affolante poitrine. La prendre là, maintenant, lui peloter ses seins jusqu'à ce qu'elle demande grâce. Lui montrer qu'il n'était pas seulement un PDG assoiffé de cash-flow. Qu'il y avait un homme derrière le manager, et un homme qui. Enfin bref. S'il avait été sûr du résultat il aurait essayé. Mais, malgré

125

ses ouvertures, elle gardait une réserve qui l'inquiétait. Ce n'était pas le moment de prendre le risque d'un fiasco.

— À bientôt, Laetitia.

— À bientôt, monsieur le...

— Benoît.

Son visage s'éclaira d'une façon irrésistible.

— Très bien Benoît. J'ai vraiment apprécié notre rencontre.

— Moi aussi.

Il s'effaça pour la laisser sortir du bureau et referma délicatement la porte.

17.

Petit Soviet

Cette fois, rien n'avait été trop beau. N'hésitant pas à jeter le contenu des caisses noires de la Compagnie par les fenêtres, la direction avait commandé une cinquantaine de bouteilles. Pas du Moët-et-Chandon, non du Bollinger. Le seul qu'aimait Laetitia. Le grand jeu aussi pour les petits-fours. Elle les imaginait : pas de mesquineries, ce n'est pas le moment de faire des histoires. Le rapport de force. Elle avait toujours haï cette expression. Quand il était de votre côté, ça n'était tout de même pas désagréable. Elle avait beaucoup réfléchi avant de se lancer. Premier principe : juste les secrétaires. Elle voulait leur montrer que rien n'était changé. À deux exceptions près, celle du directeur juridique, une horrible pimbêche qui snobait tout le monde parce que son mari était avocat, et celle d'un cadre de l'International qui avait un jour dit des horreurs sur Sylviane. Du style « quand on est grosse comme ça on évite les bustiers moulants, on préfère les sacs ». Impardonnable. Les autres avaient toutes été conviées. Enfin toutes celles qu'elle connaissait plus ou moins. Logistique, Finances, Commercial, Environnement, Formation, Communication, presque tous les services étaient représentés. Un vrai petit conseil d'administration de la base. Une trentaine, des

127

jeunes, des vieilles, des Bac+7 et des Bac–3, des bien nées et des rien du tout, des gentilles ou des revêches. Jamais elles ne s'étaient retrouvées ensemble. Les pots de l'amitié, de départ, de bébé, de licenciement, de bienvenue ne concernaient que le service, et encore. Et puis il y avait souvent les cadres ou assimilés. Il suffisait d'un sous-chef pour gâter l'ambiance. Ou pour être obligée de tenir sa langue. Mais là elles pouvaient enfin se parler.

— Tu sais, mon boss j'ai comme l'impression qu'il me parle plus aimablement qu'avant, proclamait à l'adresse de Laetitia et d'un petit groupe qui s'était formé autour d'elle l'assistante de Daniel Buté, une rousse bien en chair. Il sait qu'on est copines et crois-moi il fait gaffe.

— Il a raison de se faire tout petit ç'uilà, dit Macomba en élevant la voix. Elle était en pleine forme depuis qu'elle avait changé de service. Après toutes les misères qu'y m'a faites ton pat'on ma p'tite Dorothée !

— C'est fini, maintenant il va te manger dans la main, enchaîna Alice de Montbazon d'un air convaincu.

— Hé ! mais moi ce que je veux c'est qu'y me mange aut'chose ma jolie, répliqua l'Africaine, adressant un large sourire à la secrétaire de Pascal Grosvallon.

— Va pas trop vite, poursuivit la rousse de la DRH, il apprend les bonnes manières c'est déjà pas mal, crois-moi ! Le mien en six ans il a toujours pas appris à dire gentiment bonjour, alors tu vois...

— J'peux pas me plaindre cela dit, grâce à not'nouvelle p'tite reine, reprit la Sénégalaise, y m'a convoquée dès le lendemain de ton tête-à-tête au sommet et vous savez ce qu'y m'a dit cet empaffé ?

Le chœur des vierges : Non mais raconte !

— Eh bien y m'a balancé : « Madame Diriou vous êtes sous-utilisée à la direction Matériel, pourquoi vous voulez pas évoluer ? » *Évoluer*, y en ont des jolis mots aux Ressources ! Moi j'y réponds, mais m'sieur Buté ça fait tous les ans que je vous l'dis et vous faites la lourde oreille à chaque fois.

Éclats de rire dans le public, toujours friand des prestations de Macomba.

— Et alors ils ont dit oui pour ton transfert ? interrogea Sylviane à qui la bonne volonté de la direction commençait à donner des idées.

— Oui ? Tu rigoles ! Enchanté ma p'tite madame, l'International ? Génial ! Comment qu'on y a pas pensé plus tôt nous aux Ressources ! Bref, c'était la grande joie. Et vous savez le plus beau ?

Réponse du chœur : Non mais continue !

— À la fin avant d'obtenir le congé, je m'suis dit pourquoi pas essayer les tunes. Alors j'y ai fait : « Excusez m'sieur Buté mais y a aussi la question d'argent... »

— T'as osé ?

— Bravo !

— Il faut les faire cracher ces peine-à-jouir !

— ... Eh ben avant que je donne ma prétention y me dit c'te poubelle ambulante, mais justement je comptais vous en parler. On avait décidé de vous augmenter de 20 % ! Alors moi je dis : un toast pour la reine.

Presque toutes les participantes avaient fini par rejoindre le cercle où Émilie Diriou donnait son show. Il y eut une formidable ovation. On attrapait une coupe, on brandissait celle qu'on avait en main et on criait. C'était une sorte de délivrance collective. C'est Sylviane qui trouva la chute :

— Allez, une pour toutes...

— Toutes pour une ! hurla le chœur.

Survoltée, Sylviane, qui avait jusque-là observé avec scepticisme les événements, entendait désormais apposer sa marque.

— En 89 ils avaient fait le serment du Jeu de paume, pourquoi on ferait pas pareil ?

— Et pourquoi pas le Serment des négresses ? suggéra une Macomba plus déchaînée que jamais. On est toutes dans la galère, toutes esclaves des quatre-pièces-cravate, même vous les Blanches.

La pièce supplémentaire désignait une certaine partie de l'anatomie de ces messieurs de la CGP, à laquelle Macomba pensait en de multiples occasions dans la journée à en juger par sa conversation. Toutes ne connaissaient pas l'expression.

— Bravo !

— Oui au Serment des négresses, reprit au bord de l'hystérie Sylviane, et si on touche à l'une d'entre nous...

— Hé ! pas si vite ! reprit la rousse Dorothée, moi je demande pas mieux que d'être touchée par certains.

— Toi t'as déjà ton quatre-heures avec qui nous savons alors laisse-nous travailler !

Malgré ses propos acerbes sur l'adjoint du DRH, l'intéressée entretenait en effet avec Daniel Buté une liaison tumultueuse qui nourrissait la chronique mondaine des trois derniers étages de la Compagnie. Il y eut des sourires entendus et des haussements de sourcils chez celles qui ne savaient pas.

— Donc, concertation ici même, dit Sylviane, dans la salle « Condor », à la moindre incartade de ces salopards et...

— N'exagère pas, l'interrompit Laetitia, ils ne méritent pas tous...

— Non, elle a raison, y en a marre.

Une partie de l'auditoire se retrouvait dans les imprécations de leur collègue.

— Mais comment faire, ma mignonne ? C'est bien joli ces paroles en l'air mais ça fait pas grossir ç'ui qu'a faim.

Sylviane s'arrêta une seconde, interloquée. Macomba avait raison : on ne sortait pas du verbiage. Des bonnes intentions, comme les chefs finalement.

C'est la secrétaire de Pascal Grosvallon, à qui aucun recoin de la maison n'était étranger, qui fit avancer le débat.

— Ce qu'il faudrait ce ne sont pas des grèves annoncées, murmura Alice d'un ton de comploteur, ils s'en fichent. C'est une sorte de sabotage discret...

Les secrétaires de la Compagnie n'en revenaient pas. Madame de Montbazon, l'assistante du conseiller spécial, si bien élevée, si sage en apparence. Il se passait quelque chose d'extraordinaire. Chacune des femmes présentes livrait tout à coup un aspect méconnu de sa personnalité. L'ambiance incitait à laisser tomber les masques.

— Ce qui les paniquerait, les pauvres, c'est si on les privait de leur palm pilot, lâcha la rousse, là ils seraient perdus !

— Non, Dorothée, il faut aller plus loin, reprit Sylviane. Il faudrait se servir de ces putains d'ordinateurs. Avec ça, on les tient, c'est ça qu'il faudrait déconnecter.

Alice de Montbazon sursauta. Pourquoi prend-elle une part aussi active au soulèvement ? se demanda Laetitia.

— Ce n'est pas une mauvaise idée du tout, dit-elle avec ce sens de l'understatement de celle qui a du sang anglais dans les veines depuis longtemps. Car en fait, pour ce que j'ai pu en voir, le système est assez vulnérable.

— Il suffirait de les débrancher, dit une voix.

— Non, ça serait se mettre dans un mauvais cas. Et puis la menace serait trop directe, il faut inventer quelque chose à leur image, de plus vicieux.

131

— Hé ! Alice, y a bien un truc qui permet de faire sauter ce bazar ? hurla Macomba qui voulait revenir au centre de l'insurrection. Et le local électrique ? Moi j'peux piquer les clés, on en avait des copies au Matériel.

La sexagénaire distinguée fixa l'Africaine avec une étrange bienveillance.

— Non, on ne va rien piquer du tout parce que je crois que je viens d'avoir une idée.

— Quel genre d'idée ? dit Laetitia vaguement inquiète.

— Intranet !

— Et alors ?

L'assistante de Grosvallon la regarda, surprise.

— Tu ne comprends pas ? Il suffirait qu'un virus s'introduise par mégarde dans le réseau et ce sont toutes les communications à l'intérieur de la compagnie qui seraient bloquées.

Un murmure admiratif parcourut l'auditoire.

— Ils trouveraient bien le moyen de s'en passer, dit Dorothée.

— Sûrement, mais au bout de combien de temps ? Et après combien de documents et de notes égarés on ne sait où ?

« Adopté », « Bravo ». L'idée fut plébiscitée.

Laetitia se sentit brusquement débordée. La petite fiesta donnée en l'honneur de sa promotion tournait au putsch. Pas vraiment ce qui était prévu. C'est quand elle avait raconté la réaction de Chavaignac à l'idée du comité des grosses têtes que tout avait peut-être basculé. Une humiliation de trop. Mais ils l'avaient bien cherché. Depuis le temps qu'on les mettait en garde. Pourtant elle éprouvait un vague malaise. Certes, elle représentait maintenant un symbole pour toutes ces femmes qui n'avaient jamais cherché à agir ensemble jusqu'ici. Mais en même temps cette affaire la dépassait. Cet argent ne lui appartenait pas. En acceptant l'imposture elle n'avait pas prévu ce qui s'ensuivrait. Si la vérité éclatait un jour – et comment pourrait-elle ne pas éclater –, de quelle manière réagiraient-elles ? Son prestige dégringolerait aussi vite qu'il avait atteint les sommets.

— Mais concrètement, ça se passerait comment ? demanda Sylviane.

— C'est simple, enchaîna la rousse, le jour où on a besoin d'envoyer un message à la direction, si l'une d'entre nous est menacée ou s'il y a un problème quelconque, brusquement tout tombe en rade. Plus de marchés financiers à Honolulu en direct, plus de chiffres disponibles, plus de notes urgentes à taper, le désert de Gobi !

— Voilà. Et puis ensuite, enchaîna Alice, quelqu'un va voir un responsable et lui explique gentiment que tout ça pourrait bien être lié à tel ou tel problème.

— Et qui jouera Don Quichotte ? glissa une voix perfide.

— Moi je veux bien, répliqua la secrétaire de Grosvallon d'une voix ferme. Je suis bien placée pour faire passer des messages...

— Mais tu les connais, ils te vireront.

C'était Sylviane, que son licenciement, annulé in extremis en raison des événements, avait traumatisée.

— D'abord ce ne sera pas si facile. Je ferai l'offusquée, je dirai qu'il y a eu un malentendu, que j'avais dit ça pour rendre service. Et puis de toute façon à mon âge mon avenir est derrière moi.

Quelques murmures de réprobation visant les ombres du neuvième étage s'élevèrent. En quelques mots la secrétaire de Grosvallon s'était imposée.

— S'ils osaient faire ça, dit Sylviane, on est d'accord ce serait la guerre ?

— Oui, oui !

Laetitia jugea qu'il était temps d'intervenir.

— Alors le principe est adopté. Mais une condition pour que ça marche. D'abord pas d'initiative isolée, c'est trop grave. Tout passe par moi. Et j'en parlerai à Alice, ça vous va ?

Un concert d'acclamations accueillit sa question.

— Faud'ait aussi p'têt' leur mett'e un peu les jetons aux p'tits messieurs.

— À quoi tu penses, Macomba ?

— J'sais pas bien. Mais pourquoi pas un p'tit papier où on leur donnerait des notes comme ils font avec nous ? Évaluation, qu'y disent ? Eh bien chiche !

La suggestion recueillit un certain succès.

— On pourrait faire un tract, enchaîna Dorothée. De 1 à 10. Et zéro pour les très mauvais. Par exemple on ferait un palmarès de l'amabilité. 8 pour Maraval, le pauvre ça ne lui aura pas servi, et 1 pour Grosvallon.

— Non zéro, zéro, hurlèrent plusieurs voix.

— ... Si vous voulez. Et puis on pourrait aussi noter leur disponibilité, ceux qui jouent aux ermites surbookés et ceux qui ont leur porte ouverte.

— Et un tableau harcèlement ?

La remarque de Laetitia fit réagir Macomba.

— T'as raison la reine ! On fera des p'tits dessins avec leurs noms en dessous. Tarlé le gros vicieux qui s'occupe des bagnoles 10 sur 10. Mais en dessous on mettra : « Sait pas bien se servir de son engin » !

— Et pour Buté ce sera quoi ?

La rousse ne se laissa pas surprendre.

— Long à chauffer, à manier avec précaution.

— Bravo ! On commence quand ?

C'est ainsi que se prennent les grandes décisions. Dans l'inconscience et dans la ferveur. Laetitia était dans l'ensemble très satisfaite de sa journée.

Un téléphone sonna.

— Laetitia, c'est pour toi.

Elle s'approcha de l'appareil. C'était Jérôme, au bord de l'apoplexie. « Il faut que je te voie tout de suite » furent les seules paroles intelligibles qu'il réussit à prononcer. Son chef était sous tension. Ils semblaient décidés à montrer les dents. Il fallait lâcher prise. Elle l'écoutait d'une oreille distraite lorsqu'il prit tout à coup sa voix de mort-vivant.

— Et tu as vu le cours ?

— Non, qu'est-ce qui se passe ?

— L'action a perdu 8 % ce matin.

— Merde !

— Comme tu dis. Tu as une idée de ce que ça représente ?

— Je t'ai déjà dit que je ne veux pas le savoir.

— Je te le dis quand même : près de deux cents millions de nos bons vieux francs !

Pour la première fois, elle eut peur. Elle ne pouvait plus rendre l'argent, maintenant. S'ils l'obligeaient à payer, c'était le désastre. Elle réussit à lui glisser un mot gentil avant de raccrocher. Elle avait accepté de dîner avec lui le soir même.

— Ça ne va pas ? interrogea Sylviane inquiète.

Laetitia essaya de faire bonne figure. Mais aucun son ne sortit de sa bouche. Elle lui adressa un pâle sourire et se dirigea vers le couloir. Elle avait voulu jouer gros jeu et elle venait de tirer une dame de pique. « Le mauvais sort », lui répétait Sylviane chaque fois qu'elle lui racontait une séance chez sa voyante.

Arrivée devant l'ascenseur, elle avait les yeux pleins de larmes.

18.

Le dîner aux millions

— Excuse-moi, il y avait un pot au bureau et je ne pouvais pas m'échapper.

L'embrasser de manière démonstrative. Échangerais tendresse contre ponctualité. Vingt-cinq minutes, il pouvait tout de même comprendre. Elle jeta un coup d'œil autour d'elle. Sormani, un des grands restaurants italiens. Une décoration un peu chargée mais qui donnait une impression d'intimité. Ce choix méritait l'attribution d'un petit bonus. Après avoir quitté le bureau, elle était repassée chez elle. Après un thé et un bain aux essences exotiques, sa déprime était passée.

— Je vois que tu es de plus en plus occupée. Impossible de te parler au téléphone, une demi-heure de retard, dis-moi, tu as fait du chemin depuis notre premier dîner ! Enfin je suppose qu'il va falloir que je m'y fasse.

Que de maladresses en si peu de mots, songea-t-elle. Mais il avait raison sur un point : elle évoluait vite. Autrefois, il y a quinze jours, il y a un an, une vie, elle se serait levée et l'aurait planté là. Mais en quelques jours elle avait appris à mieux se maîtriser. Une scène ajoutée à une autre ne produisait rien. En deux semaines, Cendrillon s'était transformée en raider. Le choc il est vrai était rude. Après tout, aurait-elle réagi mieux que lui ? Ce qui était tout de même irritant c'était cette vanité sexuelle typiquement masculine. Impossible pour lui de s'imaginer tout juste à la hauteur, le grand prédateur de la finance.

— À quoi tu penses ?

Le visage de Luigi Signorelli lui traversa l'esprit pendant quelques secondes. Elle avait fini par abandonner l'idée de le revoir. Et pourtant il l'avait appelée. À 19 heures. Quelques mots sur son portable et un téléphone en Italie. Comment avait-il déniché son numéro ? Que lui voulait-il ?

— Tu es dans les nuages, on dirait.

— Excuse-moi, je réfléchissais à ce que tu m'as dit au téléphone, dit-elle, laconique.

Voilà. Ça a suffi pour te déclencher. J'ai maintenant tous les détails. Le courrier de la Société générale. « Madame, nous souhaitons vivement... » Traduction libre : rends le fric salope ! La description du préjudice « d'une extrême gravité ». Une note du PDG de la BNP accompagnait le billet doux. D'où l'émotion de son chef. Oui, je comprends bien, tu as passé un sale quart d'heure. Tu as dû t'expliquer, inventer que tu ne t'étais pas rendu compte de ce que tu avais fait en ouvrant le compte. « Un con ? Oui j'admets, monsieur. Mais... Bien. Pourquoi ? Comme je vous l'ai dit, j'ai cru qu'il s'agissait de lires italiennes... Pardon ? L'euro ? Oui, monsieur le Directeur, vous avez évidemment raison, on ne travaille plus qu'en euros. Je voulais dire... des roubles, voilà, c'est pour ça que... Depuis quand prend-on de l'argent russe sans faire de déclaration de soupçon ? Vous avez entièrement raison mais j'avais prévu de le faire et. Quoi ? Est-ce que j'ai d'autres prévisions de ce genre en vue ? Non, monsieur. Parce qu'il faudrait vous en informer ? Vous êtes dur, monsieur le Directeur. Non ? Ah bon. Je ne pensais pas que. Si ? Eh bien... croyez bien que j'apprécie cette dernière chance. Hein ? Naturellement, j'en suis conscient, j'imagine. Le président de la banque lui-même ? Ah bon. Dans ces conditions bien sûr je comprends.

— Tu réalises dans quelle situation tu m'as mis ?

— Oui, mais sur le fond il ne se doute de rien. Tu apparais juste comme incompétent.

Là, c'est vrai, je n'aurais pas dû, songea Laetitia. Un peu brutal le commentaire, c'est vrai. Donc nouveau délire sur l'ANPE, le RMI, la chute finale. Toi tout seul sous les ponts, sans PEA, sans maison, sans amis, sans famille. Quoi ? Mais non, je ne prends pas ça à la légère. Mais si je suis solidaire. D'ailleurs... Quoi ? Ah, l'affaire se gâte. Les nerfs du surhomme lâchent. La prison ? Je n'ai pas non plus envie d'y aller. On s'est bien amusés ? Surtout moi ? Minute papillon. Le prendre sur un autre ton ? Je prends le ton qui me convient. Me lâcher ? Fais comme tu le sens ! Abandonner et faire un virement dès demain ? Pas question. De toute façon tu as besoin de ma signature, c'est toi qui me l'as expliqué, et longuement encore ! Je suis une garce ? Moi ? Tu perds la boule.

Pendant que tu parles, toujours plus vite, je prends conscience que quelque chose ne colle pas dans cette histoire. Au départ une erreur de l'ordinateur et 600 bâtons me tombent dans le bec ! Je fais passer l'argent dans une première banque. Inquisition, indignation puis évasion. Enfin les hauts murs de la BNP lui offrent refuge. Rebondissement. Les circuits sont immédiatement identifiés. Logique. Vu les sommes en jeu les huiles s'en mêlent. En plus de mon billet doux, signé par l'apparatchik que tu es, le PDG Société générale saisit le collègue BNP. Qui saisit ton chef. Qui t'insulte. Qu'est-ce qui ne va pas ? La peur. Tout le monde prend cette affaire du bout des doigts. Pas de vagues, pas de fuites surtout, c'est ce qu'on te dit en insistant lourdement. Sinon catastrophe. Pourtant la seule qui devrait être inquiète dans tout ça c'est moi. Quelle est l'expression qu'il a utilisée ton chef déjà ? Ah ! oui, attention à éviter le bug médiatique. La formule me rappelle quelque chose. Mais quoi ? C'est comme si une des clés de l'histoire était là. Qui m'a parlé de bug récemment ? Dans quelles circonstances ? Il faut que je me souvienne, c'est important. Ça se passait au bureau, ça j'en suis sûre. Le contexte ? Pénible. Mais qui ? Qui ? Pas une collègue. Quelqu'un de la hiérarchie, oui, c'est ça. L'expression était un peu différente. Voilà : il n'y avait pas le mot tout seul. Grosvallon évoquant mon avenir. Le jour où le grand homme avait fait une virée à notre étage pour passer un savon à Maraval. Non, en réalité c'était pour lui faire perdre la face, l'humilier en public, organiser sa démission. Et puis tout à l'heure la même expression dans la bouche du président. Mais quel rapport avec mes 600 millions ? Grosvallon a parlé à quelqu'un de la BNP. Jérôme ? Impossible. Son chef ? Non, le PDG. En quoi est-il concerné ? À moins que. C'est au patron de la Société générale qu'il a parlé, bien sûr. L'une des banques de la Compagnie. Et accessoirement la mienne. Oh non !

19.

Préliminaires

Elle venait de lui parler de ses parents. Attentionnés mais pêchant à ses yeux par défaut d'ambition. Pour eux comme pour elle. Il avait fait une allusion assez directe à sa vie sentimentale. Elle avait répondu en mentionnant son goût pour le célibat. Jérôme était passé à la trappe. Après tout, leur relation était encore précaire, s'était-elle dit. Inutile d'entrer dans des détails qui pourraient un jour se révéler gênants.

— Et vous êtes depuis combien de temps à la CGP ?

Elle aimait sa façon de poser les questions, légèrement penché vers elle sans envahir ce qu'elle appelait sa « zone de sécurité. »

— Six ans.

— Et vous y avez fait quoi, *Signorina* ?

Situé à proximité de la place de l'Étoile, le bar de l'hôtel Raphaël, où il lui avait proposé de se retrouver dès le lendemain de son appel, offrait un cadre dépaysant avec son ambiance de maison close distinguée, et ses boiseries restaurées avec soin et ses chambres cosy qu'appréciaient tant certaines stars des médias. Les fauteuils, en revanche, se signalaient par leur inconfort.

— Vous pouvez m'appeler par mon prénom, nous ne sommes pas au bureau, après tout.

— *Va bene*, dit-il d'un air gourmand. Alors, vous avez travaillé pour quels départements, Laetitia ?

— Les services généraux et après le commercial. Et depuis quelques années la direction financière.

— Vous étiez avec Maraval ? dit-il en s'approchant de son siège.

— Oui.

Il parut pensif durant quelques secondes.

— Il paraît qu'il a... dysfonctionné.

— Vous voulez dire disjoncté ?

— Voilà, c'est ça, dit-il avec un large sourire, j'adore cette expression. Disjoncté.

— Pourquoi dites-vous ça ?

— Il nous a fait perdre beaucoup d'argent... Vous ne le saviez pas ?

— À quoi pensez-vous ?

— Il a spéculé sur la hausse de l'euro, non ?

— C'est vrai.

— Ah, vous voyez !

— Mais c'était une idée de notre président.

Luigi Signorelli eut une moue sceptique.

— Ce n'est pas...

— Je vous assure, j'étais même dans le bureau, je venais lui apporter un fax urgent. C'est vrai que l'idée venait de Jean-Louis...

— Jean-Louis ?

À la façon dont l'Italien prononça sa phrase et à son sourcil levé, on comprenait ce qu'il avait en tête.

— Mais non, c'est fini le temps où les secrétaires couchaient avec leur patron.

— Ah bon ? fit son interlocuteur d'un air à moitié convaincu.

— En tout cas, ce jour-là le président s'était montré enthousiaste, il lui avait même dit, je m'en souviens bien, qu'il fallait faire ça à une grande échelle.

— Pourquoi ce souvenir si précis ?

Il la scruta de ses yeux bleus qui la troublaient. Un instant elle se demanda s'il était maquillé. Quel âge pouvait-il avoir ? 55 ans ? Plus, peut-être, 60. Trente ans de différence d'âge, évidemment, cela comptait.

— Je ne peux pas le dire.

— Et pourquoi ?

Elle s'agita sur son siège.

— Ça aurait l'air prétentieux. Après tout je ne suis qu'une secrétaire.

— Ce que vous dites est absurde, dit-il d'une voix ferme. Vous avez le droit d'avoir un avis sur ce que font ces gens.

— Oui, bien sûr. Ce que je voulais dire... Enfin je trouvais dangereux de parier sur la hausse de l'euro après tout ce qui s'est passé.

— C'est-à-dire ?

— Oh, vous le savez mieux que moi, les gouvernements qui ne sont pas d'accord entre eux, ces types à la Banque européenne qui interviennent à tort et à travers sur les marchés.

— Qu'est-ce qui vous fait penser ça ?

— Je ne vois pas l'intérêt d'annoncer à l'avance qu'on va soutenir l'euro, par exemple. On veut essayer de faire peur aux spéculateurs, et en réalité on les excite...

Cette réflexion sembla plonger Luigi Signorelli dans une grande perplexité.

— Vous n'êtes pas d'accord ? dit-elle d'une voix légèrement inquiète.

— Si. Au contraire. Mais...

— ... Vous trouvez curieux que j'aie une opinion sur un sujet aussi technique, je me trompe ?

— En quelque sorte.

— Vous savez, on suit les marchés tous les jours, les cours des actions, l'évolution des monnaies, on finit par comprendre de temps en temps ce qui s'y passe.

Elle se sentit vexée par sa surprise.

— Pour en revenir à notre conversation, vous dites que ce n'est pas Maraval tout seul qui...

— Non.

— C'est curieux.

— Oh, ça arrive tous les jours. Dès qu'un type est viré...

— ... on lui met tout sur le dos. Oui, bien sûr, c'est classique mais là quand même...

— S'il n'y avait que ça !

Pour la première fois, l'Italien sembla perdre sa bonne humeur.

— Qu'est-ce qu'il y a d'autre ?

— Oh ! si vous saviez ! plein de choses amusantes.

— Vous parlez par énigmes, *Signorina*.

— Je ne sais pas exactement ce que j'ai le droit de dire, murmura-t-elle en faisant la moue.

Son interlocuteur s'approcha d'elle. Ils se frôlaient presque.

— Tout, Laetitia, vous devez tout me dire. Je suis administrateur. Mais surtout, je suis votre ami.

La secrétaire du directeur financier ne put réprimer une grimace. Elle n'aimait guère ces discours enjôleurs. Mais elle s'était mise dans une situation inextricable. La Compagnie avait osé disposer de son compte bancaire, la traitant comme un objet. Et maintenant la fuite de leur précieux pactole allait les rendre méchants. Cet homme qui la courtisait aurait pu l'aider à se sortir de ce piège. Mais derrière

144

le beau parleur se dissimulait à l'évidence un requin tout aussi redoutable que Chavaignac et sa bande.

— Vous vous méfiez de moi ?

Elle lui décocha un sourire irrésistible.

— Comment pouvez-vous dire ça ? Qu'est-ce que vous voulez savoir ?

— À quoi pensez-vous ?

— Oh, à une drôle d'histoire, soupira-t-elle, un investissement en Ouzbékistan où le groupe a acheté une grosse société. Vous situez l'endroit ?

— Oui, j'ai quelques intérêts dans une autre ancienne république soviétique, au Kirghizistan.

— Eh bien, là-bas, on a dû dépenser... voyons, le premier virement date d'il y a dix-huit mois peut-être, c'était de l'ordre de 200 millions, des dollars bien sûr, puisqu'ils ne veulent plus que ça dans ces pays.

— Je n'ai jamais entendu parler de cette affaire, dit-il sans dissimuler son scepticisme.

Laetitia le regarda d'un air malicieux.

— C'est pourtant votre société, non ?

— Un peu oui.

— C'est indiscret de...

— Douze pour cent.

— Pas mal. En tout cas, monsieur Grosvallon y croyait beaucoup. Il s'agissait d'une boîte qui était censée posséder des champs de pétrole.

— Et alors ? demanda Signorelli avec une légère inquiétude dans la voix.

— Eh bien, rien. La société n'existait pas.

— Comment ça ? dit-il, assommé par cette nouvelle.

— Quand le groupe a envoyé Jean-Louis en Russie, la deuxième fois, après avoir payé la moitié du prix d'achat, il n'y avait plus rien.

— C'est impossible. Il y avait bien des papiers...

— Tous fabriqués.

— ... des bureaux.

— Oui, trois étages dans la grande tour de Moscou, loués à la journée, on l'a appris après.

— Des employés ?

— Engagés pour l'occasion.

— Personne n'était...

— ... allé sur place ? Si, Jean-Louis et un ingénieur russe, notre correspondant dans la région. On a découvert qu'il avait été acheté par les escrocs qui avaient imaginé l'arnaque.

— Mais Maraval ?

— Il a vu des puits, des forages...

— Ah !

— ... qui appartenaient tout à fait légalement à une société péruvienne qui n'avait rien à voir avec cette histoire. Ils avaient payé une douzaine d'employés en leur disant que c'était un concurrent qui voulait voir discrètement les installations et que ça n'aurait aucune conséquence. Mettez-vous à leur place, on ne leur demandait pas de dire ou de faire quoi que ce soit, juste de faire leur boulot en silence. Et on avait apposé une fausse plaque avec le nom de la société à l'entrée...

— Mais enfin, c'est incroyable. À ma connaissance, il y a un bureau à Moscou où sont enregistrées les entreprises...

— Notre correspondant a expliqué à Maraval que l'Ouzbékistan étant une république autonome, les statuts étaient forcément là-bas et qu'il allait faire les vérifications nécessaires...

— ... qui se sont révélées positives.

— Évidemment. Il faut reconnaître que c'était une arnaque bien montée.

Luigi Signorelli s'enfonça profondément dans son fauteuil, les yeux mi-clos.

— Mais enfin, il y avait des documents..., dit-il d'un ton lugubre.

— Oui, des autorisations officielles pour exploiter les gisements, des concessions, ce genre de choses.

— Et tout ça était en règle ?

— Apparemment oui.

— C'est incroyable !

— Ce qui est dommage, c'est qu'au dernier moment, Jean-Louis a eu des doutes.

— Ah oui ?

— Le papier.

— Quoi le papier ?

— Il lui a paru un peu trop neuf. C'était curieux pour des autorisations qui dataient, paraît-il, des années 60.

Énervé, l'Italien leva les yeux au ciel.

— Et qu'est-ce qui s'est passé ?

— Rien. Jean-Louis en a parlé à Grosvallon, qui lui a dit que le dossier était sur le point d'aboutir et que ses scrupules allaient faire tout capoter.

— Ah, ces *Francese* ! Ils se croient toujours plus malins ! Et comment votre... Maraval a-t-il fait apparaître la perte ?

Laetitia Rossi réalisa qu'elle faisait pénétrer l'Italien dans les cuisines de la Compagnie. Ce qu'il allait découvrir ne lui ferait pas plaisir.

— Si je me rappelle bien, on en a intégré la moitié la première année dans une rubrique « frais de prospection commerciale » ou quelque chose de ce genre-là.

— ... et le solde l'année suivante. Quelle *combinazione* ! Personne n'oserait plus faire ça aujourd'hui en Italie.

Pendant quelques instants, il se mura dans le silence.

— Dites-moi, ils sont tous comme ça ?

— Vous voulez dire le management ?

— Exactement.

Elle laissa échapper une grimace comique.

— Non, quand même pas !

— Ça ne devrait pas vous faire rire, Laetitia, après tout, vous êtes actionnaire maintenant.

La remarque traduisait sa curiosité. Elle sentit qu'une question indiscrète allait suivre si elle ne faisait rien.

— Je sais mais je n'arrive pas à m'y faire, enchaîna-t-elle vivement d'un air sombre en se reprochant d'avoir été si lente à évaluer le degré de cynisme des crocodiles du neuvième étage.

— Alors, répondez-moi, cette équipe, vous en pensez quoi ?

La secrétaire hésita une seconde avant de se livrer. Que ferait-il de ses confidences ? Quelle confiance pouvait-elle lui accorder alors qu'elle avait déjà tous les tordus de la CGP sur le dos ?

— Eh bien, ils ont l'œil à tout, dit-elle en se demandant où elle voulait en venir. En tout cas, pour les petites dépenses...

— *French humour ?*

— Non, ce ne sont que des impressions. Mais c'est vrai que les chèques de cent millions partent plus facilement que les autres.

— Vous essayez de me faire peur !

— Pas du tout. D'ailleurs, je pense que c'est partout pareil.

— Vous vous avancez un peu.

— Vous croyez ça ? L'année dernière, par exemple, on a tout à coup décidé que le poids des actifs non stratégiques était excessif.

— Des quoi ? dit-il en ouvrant de grands yeux.

— L'immobilier, si vous voulez. Donc, ils ont vendu en quelques semaines plus de deux cent mille mètres carrés de surface, rien qu'à Paris.

Le milliardaire italien eut un rictus.

— C'est quoi encore cette histoire ?

— La Compagnie possède depuis toujours des immeubles, des terrains, à la fois à Paris et autour.

— Ils ont commencé à vendre quand ?

— Il y a trois ans. Vous savez, il fallait bien dégager des plus-values...

— Qui vous a dit ça ?

— Jean-Louis.

— Ils ont vendu à combien le mètre ?

Laetitia Rossi fit un effort pour rassembler ses souvenirs.

— Je crois... environ dix mille francs.

— Dans quels quartiers ?

— Le centre, il me semble. Troisième, quatrième arrondissement.

— Et vous croyez que c'est une bonne affaire ? ricana l'actionnaire de la CGP. Ah, par rapport à 1880, quand le prédécesseur de Benoît les avait achetés, ça oui, mais en comparaison des prix de ces dernières années, c'est une catastrophe !

— C'est drôle, murmura Laetitia, c'est aussi ce que me disait la secrétaire du directeur de l'immobilier.

Elle parut songeuse.

— C'est comme s'il fallait combler des trous et habiller les comptes, poursuivit-elle, en réalisant brusquement ce qui s'était passé. Mais c'est absurde, pourquoi brader le patrimoine de la Compagnie ?

— C'est ce que j'aimerais comprendre, justement. Ils ont vendu les bijoux de famille dans l'urgence et sans avertir le conseil. C'est grave.

— Vous avez une idée ? fit Laetitia qui voyait soudainement les seigneurs du neuvième étage sous un jour moins reluisant.

L'Italien la fixa avec insistance.

— Dans certaines entreprises, il y a de mauvaises habitudes.

— Vous faites allusion à des commissions ?

— Voilà.

Elle hésita une seconde.

— C'est vrai, il y a eu des rumeurs.

— Soyez plus précise.

— Eh bien, la secrétaire du département immobilier justement me parlait du train de vie de son patron. C'était la grande vie pour lui.

— Il faudra éclaircir cette histoire, grogna Signorelli d'un air mauvais. Et le reste de l'équipe de direction ?

— Oh, il y a des gens bien, je vous assure, à l'International, au marketing...

— Et vous ?

— Vous parlez par énigmes, monsieur Signorelli.

— Luigi.

— Moi quoi ?

— Vous voudriez évoluer ?

— Ça fait longtemps. Je voulais aller à l'International mais finalement Benoît Chavaignac a préféré que je m'occupe des petits actionnaires à la direction de la communication.

— Ce n'est pas de tout repos.

— Étant donné l'évolution de l'action, non, en effet. Mais on parle de moi... et vous ? Vous êtes bien discret, Luigi.

— Vous verrez, c'est souvent utile.

— J'ai répondu à vos questions personnelles, vous en feriez autant ?

— Pourquoi pas ? dit-il en se rétractant de façon presque perceptible.

— Vous êtes marié, évidemment ?

— Veuf.

— Excusez-moi.

— Oh, ce n'est pas grave, ça s'est produit il y a longtemps.

— Des enfants ?

— Deux filles qui se débrouillent bien.

Cette précision laissait supposer qu'elles traversaient de sérieuses difficultés.

— Alors vous êtes un vrai moine !

Il éclata d'un rire chaleureux qui lui donna envie de lui envoyer des signes d'encouragement.

— Je suis obligé d'avouer que ce compliment est exagéré, Laetitia, dit-il en regardant furtivement sa montre. Oh, je suis en retard, pardon mais il faut que j'y aille.

Luigi Signorelli se leva avec l'aisance d'un homme beaucoup plus jeune.

— Ne bougez pas, dit-il en se penchant vers elle. Je peux ?

Elle sentit ses joues devenir écarlates alors qu'il se penchait vers elle. Il l'embrassa d'une façon ambiguë, au coin des lèvres, avec cet aplomb qu'ont les hommes peu habitués aux échecs.

— *Arrivederci... Lei è fantástica...*

Elle le suivit des yeux jusqu'à ce qu'il ait quitté le bar.

20.

Carnaval

Le lendemain, un vendredi, Laetitia était au bureau depuis une demi-heure, lorsque sa complice entra.

— Neuf heures et demie, tu es passée aux trente-deux heures, on dirait.

— Oh, fais pas la chef !

Sylviane s'affala sur son siège et disposa sur le bureau un ouvrage d'aspect imposant.

— C'est quoi ça ?

— *Votre avenir professionnel et les astres*, dit Sylviane d'un ton solennel.

— Je vois que tu es débordée... Au fait, il arrive quand le successeur de Jean-Louis ?

— Ce matin, je crois.

— Si tôt ?

— Eh oui, fini la liberté. Et toi, comment tu vas ? demanda Sylviane, plus attentionnée tout à coup.

Laetitia ne voulait plus impliquer sa collègue dans cette histoire. Elle avait donc décidé de s'en tenir au strict minimum.

— Pas mal. J'ai vu mon Italien hier.

— Alors ? lâcha Sylviane brusquement intéressée.

— Ça s'est bien passé.

— Vous avez...

— Mais pour qui tu me prends ? C'était la première fois qu'on se voyait ! Cela dit, en partant il... enfin on s'est un peu embrassés.

Sa collègue eut un sourire de mère maquerelle.

— Ça a l'air bien parti.

— Je n'en sais rien. Il n'est pas aussi abordable qu'il en a l'air.

— Et l'argent ?

— Là, ça va moins bien. Il paraît que je vais recevoir une lettre terrible de la banque.

Laetitia comptait les jours pour se repérer. L'affaire datait d'un mois. Si peu de temps.

— Rends-le, ne fais pas l'imbécile.

— Il n'y a pas le feu au lac, dit-elle, contrariée.

— Comme tu veux, moi je te dis ce que j'en pense. Tu sais que le tract arrive ce matin ?

— Déjà ?

— Oui. J'ai fini de le relire hier et je l'ai passé au syndicat. On devrait l'avoir d'un moment à l'autre.

— Et le pot de Macomba ?

La Sénégalaise avait préparé une « sangria party » dans son bureau du huitième étage. La direction internationale était à la fête depuis sa récente arrivée.

— J'y vais, lança Laetitia en se levant.

— Je te rejoins dans cinq minutes.

Lorsqu'elle arriva au huitième étage, la secrétaire fut impressionnée par ce qu'elle aperçut : un immense buffet installé sur une demi-douzaine de bureaux squattés pour l'occasion.

— Alors, il est là ?

Laetitia avait passé une tête dans l'antre de la nouvelle employée, encombré de statuettes africaines, de masques et d'amulettes de toutes sortes.

— Non, pas enco'e.

— J'appelle les copines ?

— J'ai préparé une su'prise.

— Quel genre ?

— Tu vas voir.

Émilie Diourou sortit dans le couloir.

— Hé ! les p'tits gars ! c'est le moment de rappliquer.

Trois types déboulèrent devant elle lourdement chargés.

— On s'fait un bœuf les enfants ?

— Tout de suite.

— Posez votre matos là-bas.

L'Africaine désigna le bureau de son directeur aux musiciens.

— Mais c'est...

— T'inquiète p'tite reine, il est en rendez-vous extérieur, il repasse que dans l'après-midi. Magali, t'appelles les filles de l'étage ma cocotte ? Merci.

Au même moment on entendit un bruit sec. L'Africaine grimaça.

— Aïe, on dirait qu'y a eu de la casse.

Laetitia se dirigea vers l'immense pièce. Par terre on reconnaissait facilement l'ordinateur portable du directeur, fracassé à vue de nez en autant de morceaux que la Compagnie comptait de filiales à l'étranger pour dissimuler ses bénéfices.

— Désolé madame, bredouilla le plus jeune, j'ai accroché ce truc avec la trompette.

Macomba, suivie de quelques collègues, avait surgi.

— Aïe, aïe, mes garçons, qu'est-ce qu'vous avez fait comme bêtise ?

Dorothée, appelée pour attaquer le buffet en catimini, prit les choses en main.

— Écoute, on va pas s'emmerder, dit la secrétaire de Daniel Buté en s'adressant à la responsable des festivités. Si on raconte ce qui s'est passé ils vont nous prendre la tête pendant deux ans. Y a qu'à dire qu'il est tombé en panne et qu'on l'a envoyé en réparation.

— Ce n'est pas très malin, lâcha Laetitia, il faudra remplir des papiers et on saura vite l'état dans lequel il est arrivé. Non, il vaut mieux dire qu'il y a eu un vol, par exemple.

— T'sais que t'es une grande futée toi ? Bon, allez ! on ramasse la bête les filles ! Faut dire, depuis le temps que j'leur répète que leur sécurité c'est une vraie passoire, y m'écoutent pas !

— Réserve-toi pour tout à l'heure quand il rentrera de déjeuner.

En cinq minutes toute trace de l'existence d'un Apple dans la pièce avait disparu.

— Allez-y, maintenant, mais gaffe, hein ?

Les trois lascars sortirent leurs instruments et commencèrent à jouer un classique de Duke Ellington. Alertées par le bruit, les secrétaires des autres services venaient grossir le public. Bientôt le cercle des pétroleuses – l'expression était d'Alice de Montbazon – était au complet, augmenté de nouvelles recrues. La sangria circulait. On trinquait.

C'est le moment que choisit Pascal Grosvallon pour entrer dans la pièce.

— Je cherche... Mais qu'est-ce qui se passe ici ? Qu'est-ce que c'est que ce souk ?

— Chut.

— Pascal, faites moins de bruit, ils jouent, glissa Alice d'une voix flûtée.

L'éminence grise de Chavaignac n'en croyait pas ses oreilles. Comment ces bonnes femmes se permettaient-elles

de lui parler avec cette insolence ? Et sa propre secrétaire !
Évidemment on retrouvait les mêmes : la Noire déjantée, la
milliardaire intérimaire et leur bande de dingues. La troupe
grossissait un peu plus chaque fois, on dirait. Sur tous les
bureaux les photos de plage côtoyaient à nouveau des animaux en plastique, des maquettes de bateaux et des boîtes
de chocolats. Sur sa droite il aperçut un poster représentant
un voilier magnifiquement restauré. Elle n'avait pas res-
pecté leur accord, songea-t-il. Ces gens étaient ridicules
avec leur attirail à quatre sous. Enfin, au moins appliquer
l'accord et en parler à Benoît à la première occasion. Pour
l'heure, il devenait urgent de mettre un terme à cette hystérie collective.

— Bon, mesdames, ça suffit ! dit-il en élevant la voix,
ici ce sont des bureaux...

Quelques-unes se retournèrent dans sa direction.

— Mais faites-le taire !

— Qui c'est ?

Sylviane s'approcha de lui. Elle prit un air angélique.

— Mais monsieur Grosvallon on fait de mal à personne.
C'est comme quand vous faites vos projections privées dans
la salle au sous-sol. Nous aussi on fait du relationnel vous
voyez.

— De toute façon c'est la pause-déjeuner, on fait ce
qu'on veut ! grinça une voix anonyme.

Effaré, le gourou du président hésitait sur la conduite à
tenir. Il regarda sa montre : 11 h 25. La pause-déjeuner,
tu parles ! Il ne pouvait pas laisser passer ça.

— Je vous invite à regagner vos services.

Les musiciens semblaient prendre un malin plaisir à se
déchaîner, rendant presque impossible toute conversation.

— La pause est finie, dit-il en hurlant. Euh, elle n'a
d'ailleurs pas commencé...

Personne ne lui prêtait plus attention.

— ... attention, mesdames, je vous mets en garde...

Tout à coup Laetitia leva la main en direction des musiciens qui interrompirent leur morceau. Elle regarda le sbire du président d'un air mauvais.

— En garde contre quoi, monsieur ?

Succédant au bruit infernal, un silence pesant s'installa. Elles fixaient toutes le grand échalas aux lunettes surdimensionnées.

— Eh bien, bredouilla-t-il, c'est-à-dire que... je voulais juste vous faire remarquer que cette musique est peut-être un peu bruyante. Donc si ces messieurs pouvaient juste jouer un tout petit peu moins fort ce serait très aimable à eux.

Transformé en guignol le gourou de pacotille. La voix chevrotante, l'air mielleux, il implorait maintenant la bienveillance du cercle. Leur autorité tenait donc à si peu de chose ?

Elle hésita une seconde.

— Demandez donc à Benoît, il aimerait ça, c'est un vrai amateur de jazz, lui !

Il y eut des rires autour d'elle. La vengeance est un plat qui doit être dégusté lentement. Laetitia fit un signe aux musiciens qui attaquèrent frénétiquement un autre morceau d'anthologie. Pascal Grosvallon quitta la pièce en essayant de garder l'air digne.

La salle entière était à nouveau sous le charme du trio lorsque Alice de Montbazon fit son entrée suivie d'un jeune homme qui posa un lourd paquet sur un bureau. Trois cents exemplaires du tract avaient été commandés, soit à peu près la moitié des effectifs du siège.

— Venez voir le bébé.

Abandonnant en une seconde les musiciens, la plupart des femmes se précipitèrent vers la secrétaire de Grosvallon.

— Ce qu'il est beau.

— Le papier est très bien.

— Et la typo, vous avez vu la typo ?

Sylviane, qui avait relu chez elle l'ensemble de la copie, s'émerveillait en feuilletant les quatre pages symbolisant leur mutinerie d'un jour. Elle attrapa Laetitia par le bras.

— Tu as vu en page 3, il y a une coquille dans l'article sur notre filiale espagnole.

— Ce n'est pas grave, personne ne le remarquera.

— Je ne suis pas d'accord, répliqua-t-elle, c'est ennuyeux pour notre premier numéro.

— Je t'assure il est très bien, et tu as fait un sacré boulot.

— Et notre hit-parade des obsédés du sexe, tu crois que ça ne fera pas trop de vagues ?

— Non, c'est bien dans l'esprit de ce qu'on avait dit. Mais le type de la logistique ne va pas aimer. Buté non plus...

— Tiens, le voilà justement qui rapplique.

De fait le DRH adjoint s'approchait. Il fit un signe de tête qui se voulait aimable et prit un exemplaire qu'il commença à lire. Au bout d'un moment il le reposa sur le bureau, très calme. Il saisit le téléphone qui s'y trouvait.

— Jean-Marc ? C'est Daniel. Venez à l'International, huitième étage. J'ai besoin de vous.

Laetitia qui le surveillait d'un œil se dirigea vers lui.

— Un problème ?

— Oui.

— De quel ordre ?

— Vous le savez très bien, dit-il en lui jetant un regard noir.

D'autres filles venaient les rejoindre.

— Non, je ne sais pas.

Il leva les yeux au ciel.

— Votre... journal !

— Ce n'est qu'un tract.

— Numéro 1, cela suppose qu'il y en aura d'autres.

— Quel est le problème ?

— Oh, ne faites pas l'innocente.

— Je vous assure...

— On ne peut pas distribuer ça dans le groupe. Et ne me dites pas que ça vous surprend !

Un silence menaçant accueillit cette déclaration. Les secrétaires se regardaient comme pour se donner du courage.

— Et vous comptez faire quoi, Daniel ?

— Embarquer tout ça à l'aide de Jean-Marc.

L'homme à tout faire de la Compagnie. Le factotum de la direction, compétent pour livrer en pleine urgence ou pour briser une grève. Un type baraqué, pas antipathique d'ailleurs. Laetitia balaya sa petite armée d'un regard sans ambiguïté. Rassurée, elle appuya légèrement sur le bras du DRH adjoint. Il fallait qu'il sente une pression physique.

— Daniel ?

L'autre avait commencé à empiler les exemplaires à sa portée.

— C'est impossible, dit-elle d'une voix feutrée.

Il eut un mouvement de recul.

— Quoi ?

— On tient beaucoup à ce truc, dit-elle en le regardant fixement. On a même un numéro de commission paritaire en cours.

— Il aurait peut-être fallu me prévenir.

— On n'avait pas le temps. Et puis si on l'avait fait...

— ... je vous aurais dit non, c'est vrai.

— Vous voyez qu'on a eu raison !

— Je fais mon boulot, rien de plus.

Laetitia eut un sourire irrésistible. Les autres la regardaient, fascinées.

— Dites-moi...

— Quoi encore ? grogna-t-il tout en jetant au fond d'un carton tout ce qu'il pouvait attraper.

— Je suis actionnaire de cette boîte.

Il eut un rictus de mauvaise humeur.

— Et moi je ne suis qu'un imbécile mais je suis payé pour éviter ce genre d'incidents.

— Daniel ?

— Oh, vous ça suffit !

— Qui dirige une entreprise de nos jours ?

Il ne put s'empêcher de ricaner.

— Le président !

— Qui le nomme ?

Il ne répondit pas.

— J'insiste. Qui désigne le président de la CGP ?

— Des chieuses dans votre genre !

Un murmure de réprobation s'éleva.

— Euh, ce n'est pas ce que je voulais dire.

C'est Dorothée qui explosa la première.

— Mais tu l'as dit, connard !

L'intéressé fixa d'un œil sidéré sa secrétaire. Il n'eut pas le temps de répondre que Sylviane avait déjà enchaîné.

— On attend vos excuses.

Alice de Montbazon qui avait observé la scène sans mot dire jusque-là sortit du groupe.

— La façon dont vous venez de vous exprimer est inadmissible, dit-elle d'un air hautain. Je suis très étonnée que quelqu'un d'aussi irréfléchi que vous travaille à la direction des Ressources humaines.

Daniel Buté transpirait légèrement. Depuis que leur petite copine s'était transformée en capitaliste, elles avaient bouffé du lion.

— Monsieur Buté, je vous somme de lui présenter vos plus plates excuses, conclut Alice d'un ton comminatoire.

Les filles attendaient en dissimulant leur excitation. Depuis quelques jours, la CGP, jusque-là endormie, connaissait un happening permanent. L'homme à tout faire de la DRH réfléchissait. Toutes ces factures à payer, le crédit sur son appartement, ses enfants étudiants avant de devenir chômeurs, sa femme qui ne voulait rien comprendre et qui dépensait son salaire dès le 15 du mois, cette promotion que la société lui refusait depuis des années, tout l'incitait à ne pas jouer au héros.

— Je vous présente mes excuses, Laetitia, j'étais énervé, ça arrive à tout le monde.

— Je les accepte. C'est une histoire réglée. Bon, maintenant si ça ne vous ennuie pas de nous laisser...

Laetitia lui désigna d'un geste désinvolte la porte. Buté jeta un œil sur le tract qui allait lui valoir tant de soucis. Rien à faire dans cette ambiance survoltée. Il se retira donc en essayant de garder un air digne sous les quolibets.

Grisées par leur succès, les collègues de Laetitia se précipitèrent vers le nerf de la guerre. Les carafes de sangria descendaient à grande vitesse. Ce n'était que hurlements et proclamations de victoire. C'est Sylviane qui aperçut la première le directeur de la division International. Il s'était immobilisé sur le seuil de la pièce, pétrifié, n'osant ni avancer ni se retirer. La secrétaire de Pascal Grosvallon se dirigea vers lui, avec un sourire resplendissant.

— Ah ! monsieur le Directeur, dit Alice avec un naturel confondant, j'espère que vous ne m'en voudrez pas...

Pétrifié, le numéro quatre dans la hiérarchie la regardait comme une sorte de monstre surgi des entrailles de la Compagnie.

« Donc ce pot destiné à fêter mes trente ans de maison... Fidélité à son histoire... participation de tous... un bon climat de travail... me suis permis... quelques affaires sur votre bureau... »

De là où il était, le haut personnage ne pouvait pas se faire une idée précise du capharnaüm qu'était devenue cette pièce où il aimait à se réfugier quand le président l'avait exagérément maltraité.

— Je vous en prie, bredouilla-t-il en reculant lentement, comme s'il avait peur d'être atteint par une balle, je vous en prie...

Il tourna les talons, prit la fuite sans demander d'explications.

— Ah ! t'es vraiment chouette, toi ! hurla Macomba en prenant sa collègue dans ses bras, ça c'est t'op bien, t'as la noblesse de cœur, toi. Ah ! j'oublierai pas je jure !

Alice se dégagea avec des gestes doux de la mortelle étreinte tout en se défendant d'avoir fait quoi que ce soit d'exceptionnel.

Sylviane monta sur une chaise.

— Un peu de calme, les filles. On va maintenant se répartir le boulot. Il est essentiel que tout le monde puisse les lire dès demain matin. Après il sera trop tard pour les retirer.

Une joyeuse agitation régnait dans la pièce, chacun s'emparant d'un paquet de tracts. Laetitia entendit soudain un bruit qui lui était familier.

— Où est mon portable ? Je l'ai posé tout à l'heure sur une table, quelqu'un l'a vu ?

Une secrétaire de la sous-direction Études se démenait, un objet à la main.

— Ce truc jaune canari, c'est ça ?

Laetitia lui fit signe de s'approcher. Elle l'attrapa avec vivacité et écouta ses messages. Au bout de quelques secondes elle coupa l'appareil.

— Sylviane, il faut qu'on y aille.

— Quoi qu'y se passe ?

— C'est notre nouveau chef, il nous cherche depuis une demi-heure. Dépêche-toi !

Rémy Gaillon était un ingénieur de Centrale qui avait fait l'essentiel de sa carrière chez le principal concurrent de la CGP. Il venait de prendre la succession de Maraval. Depuis trois jours, date à laquelle Buté le leur avait présenté, elle ne l'avait guère aperçu. De comité financier en réunion improvisée, il parcourait de ses courtes jambes les interminables couloirs de l'avenue Mac-Mahon.

Sylviane était en train de servir une louche déraisonnable de sangria à Macomba, déjà passablement alcoolisée.

— Tu viens, oui ?

L'autre grommela des imprécations dont il était difficile de savoir à qui elles étaient destinées. Elle était si bien avec les copines. Maintenant qu'ils avaient tous peur de Laetitia pourquoi fallait-il encore leur obéir ?

— On se demande ce qu'il y a de si urgent.

— Écoute, il est dans tous ses états, ce n'est pas la peine de se le mettre à dos tout de suite.

— C'est lui qui a intérêt à filer doux, ma belle, dit Sylviane en vociférant.

Laetitia la regarda, effarée.

164

— Bon, ça suffit. Lâche ton verre maintenant. Tu es complètement saoule !

Sa complice eut un hoquet d'indignation.

— Je t'interdis...

Laetitia l'attrapa sèchement par le bras, interrompant sa tirade. Les deux femmes sortirent de la pièce. Elles descendirent l'escalier en silence. En arrivant dans le bureau, Laetitia jeta un regard vers le directeur financier. Il téléphonait. Parfait. Juste le temps de s'asseoir discrètement. À cet instant, le voyant s'éteignit devant elle.

— Mais où sont ces deux... Ah ! vous voilà enfin !

Laetitia prit la direction des opérations.

— Excusez-nous, monsieur, mais il fallait faire des tirages pour le président, la brochure pour l'International.

L'avantage des empires c'est qu'il y avait toujours des bêtises à imprimer et à rassembler dans une ruineuse plaquette distribuée à cinq mille exemplaires et que personne ne lirait. Elle pouvait donc prendre le risque de dire n'importe quoi. Il n'oserait pas appeler. Enfin il fallait l'espérer.

— Oui, bon, mais quand même. Et vous aviez besoin d'y aller à deux ?

— Il y avait beaucoup de documents à porter, j'ai voulu éviter à Laetitia de faire des aller et retour.

Rémy Gaillon regarda d'un œil froid Sylviane. On lisait en lui : toujours à gaspiller le temps de la société ces employées. Il va falloir reprendre en main ce service. Commencer par la plus vieille, la plus facile à manipuler.

Il tendit à Sylviane trois feuillets noircis d'une écriture illisible et ornés sur les côtés de colonnes de chiffres rébarbatifs.

— C'est urgent. Vous me le donnez avant 13 heures.

Elle jeta un œil morne sur le projet de note. Le nouveau directeur paraissait bien pressé.

— C'est que je suis en train de finir autre chose. Ça ne peut pas attendre jusqu'à demain ?

Il se retourna.

— Je vous ai dit pour 13 heures. Ici c'est un bureau et on travaille, d'accord ?

L'ex-secrétaire de Maraval le fixa droit dans les yeux.

— Eh bien, justement non.

Le transfuge débauché à prix d'or revenait vers son bureau qu'il avait fait redécorer à grands frais avant de s'y installer. Il s'arrêta net et pivota lentement sur lui-même comme une tourelle de char.

— Vous... vous êtes Sylviane, c'est ça ?

Elle soutint son regard, un air de défi dans l'œil.

— Écoutez-moi bien, Sylviane, parce que je ne vais pas le redire, quand je vous donne un ordre vous l'appliquez sans le discuter. Point final. Si vous vous en tenez là nous travaillerons très bien ensemble. Sinon...

— Sinon quoi ?

Il soupira.

— Ne m'obligez pas à être désagréable.

Manifestement, ce type ne connaît pas la situation, songea Sylviane. Pas question de se laisser faire.

— Pour l'instant c'est vous qui l'êtes. J'aime bien comprendre ce que je fais. Ça n'est pas une exigence démesurée, non ? Et puis comme je viens de vous le dire je suis en train d'achever des textes compliqués à présenter pour le rapport annuel. C'est clair aussi, non ?

— Si vous êtes mal organisée ce n'est pas à moi d'en faire les frais.

Laetitia éprouva tout à coup un sentiment de lassitude. Son rôle de casque bleu s'annonçait éprouvant. Mais elle voyait trop bien sur quoi allait déboucher cette prise de bec. Elle fit un signe pour empêcher son amie de répondre.

— Je suis désolée, monsieur, c'est vrai nous avons pris un peu de retard à cause de ce petit problème ce matin. Est-ce que ça irait si on le faisait pour le début de l'après-midi ?

Rémy Gaillon plissa les yeux.

— Vous ne voulez pas comprendre ? Il n'est pas question que vous fassiez ça à deux. D'ailleurs j'ai autre chose pour vous.

Il était bien arrogant, celui-là. Le faire redescendre sur terre d'abord. Ensuite s'occuper de son cas.

— On est secrétaires, pas esclaves marmonna brusquement Laetitia d'une voix changée, plus rauque, presque menaçante.

— Vous perdez la tête on dirait.

— Je ne crois pas, dit-elle, surprise de rester aussi calme. Je vais vous donner un conseil, tout directeur que vous soyez, appelez Daniel Buté, il vous expliquera ce qui s'est passé dans le groupe. Et si vous n'arrivez pas à le joindre, téléphonez à Benoît Chavaignac lui-même. Son poste est le 5001 et sa secrétaire s'appelle Évelyne. Maintenant, est-ce que vous pourriez nous laisser travailler, s'il vous plaît ?

Au regard qu'il lui lança il était clair que le directeur financier avait la conviction d'avoir affaire à une folle. Mais d'ici à demain la situation serait réglée et elle serait soit à la rue soit dans un autre service. Être ferme sur la date. Il préparait déjà ses phrases. Vous savez, monsieur le Président, il vaut mieux trancher dans le vif tout de suite. S'il hésitait, lui faire comprendre qu'il serait déçu. Ça devrait suffire. Sinon invoquer les conséquences fâcheuses de ce genre de dysfonctionnement dans une direction aussi sensible que celle qu'on lui avait confiée. La Bourse. Les analystes. Les autorités de tutelle. Les banques. Il comprendrait. Surtout que la situation de la CGP semblait moins florissante que ce qu'on lui avait annoncé.

21.

Le conseil d'administration

— ... et comme vous le savez, l'année se présente bien puisque notre activité progresse dans presque tous les métiers. Mais avant de détailler l'ordre du jour je voudrais vous présenter Laetitia Rossi, que vous ne connaissez pas.

L'intéressée songea avec délectation à leurs têtes lorsqu'ils l'avaient vue entrer dans l'immense salle du conseil d'administration. Ils l'avaient instantanément identifiée. La gâcheuse d'ambiance du dernier conseil. Elle était si intimidée ce jour-là. Et maintenant elle siégeait parmi eux. Chavaignac l'avait installée à sa droite, lui permettant ainsi de profiter d'une vue dégagée sur l'assistance installée des deux côtés de la table en U. Leur hostilité était évidente. Certains, en l'ignorant, entendaient manifester la réprobation que leur inspirait sa présence dans ce lieu sacré. D'autres semblaient intrigués. Quelques-uns attendaient de se faire une opinion. Et puis il y avait Luigi Signorelli. Elle avait mis le collier de perles à son intention.

Toujours aussi élégant, l'œil vif à la Mastroianni, rien dans son attitude ne suggérait qu'il la connaissait.

C'était Jérôme qui avait eu cette brillante idée, redorant ainsi son blason terni par les scènes qu'il lui infligeait. Puisqu'elle voulait jouer le tout pour le tout, il fallait qu'elle

169

entre au conseil d'administration. Pour atteindre cet objectif, il avait fait appel à un avocat d'affaires du prestigieux cabinet Badin et associés, spécialisé dans le droit boursier et les montages à l'étranger, et connu pour ses excellentes relations avec le milieu politique de la droite à la gauche.

Elle n'avait assisté qu'à une partie de l'entretien. Mais Jérôme n'avait omis aucun détail de la négociation. L'avocat s'était montré hésitant, jusqu'au moment où il avait appris que la Compagnie avait pris le risque de cacher 600 millions sur le compte d'une de ses employées. Et sans même la prévenir. « C'est de l'argent "gris", avait-il lâché avec un sourire carnassier, qui doit venir de l'étranger par des circuits compliqués. Si ça se sait ils sont morts. » Il avait réclamé quatre mille francs de l'heure et 30 % des sommes qui seraient récupérées au terme d'un éventuel accord. Il ne pouvait bien entendu prendre aucun engagement mais le dossier se présentait bien. Jérôme lui avait conseillé d'accepter, ce qu'elle avait fait. Quatre jours avaient suffi pour que le groupe manifeste, en la personne de son président, le vif désir de la voir entrer au conseil. L'avocat était resté discret sur ses méthodes. « J'ai évoqué une action devant le tribunal pour rétablir les droits d'une actionnaire minoritaire, s'était-il contenté de confier à Jérôme, et l'écho que cela provoquerait, et ils sont devenus tout de suite plus aimables. »

Et maintenant, elle nageait au milieu des requins. Et elle commençait à y prendre goût.

— ... est entrée amicalement dans notre capital. Or il se trouve que madame Rossi travaille par ailleurs dans le groupe et elle est désormais chargée de mission auprès du directeur de la Communication...

La nouvelle transmise la veille par une note de service s'était répandue comme une traînée de poudre dans tous les étages. Chargée de mission, ça sonnait bien. Pourquoi tenaient-ils autant à ces titres ronflants ? Pourquoi ne pouvaient-ils pas supporter qu'elle reste secrétaire ?

Au fil des semaines, Laetitia prenait conscience que la Compagnie était bien plus qu'une entreprise. C'était une sorte d'État. La DRH servait de ministère de l'Intérieur. La direction financière ressemblait beaucoup à Bercy. Quelques diplomates surpayés et une poignée de hauts policiers défroqués essayaient de reproduire les mœurs du Quai d'Orsay. Au sommet, les administrateurs de la CGP s'efforçaient, comme les ministres, de donner l'illusion que rien ne se décidait sans eux. Et cet État privé avait ses notes, ses règles non écrites. Comme en Inde les brahmanes, les élus des classes supérieures ne se parlaient qu'entre eux, ignorant l'existence des intouchables, ces employés de basse extraction que la nature avait privés des facultés leur permettant de comprendre les subtilités du grand marché mondial. Désormais, elle appartenait à la caste de ceux qui savaient, des élus du cash-flow.

— ... vous voulez ajouter un mot, Laetitia ?

Curieuse, cette familiarité présidentielle dans un décor aussi guindé.

— Disons deux pour ne pas dépasser le temps que vous m'avez accordé, monsieur le Président.

Elle sentit leur perplexité. Donc, sur le fond, Chavaignac ne leur avait fait aucune confidence sur l'affaire. Il avait confiance en eux mais jusqu'à un certain point. Et pour cause. Quelle serait leur attitude s'ils apprenaient ce qui s'était passé ?

— ... juste dire que c'est un honneur de me retrouver ici dans cette société fondée en 1743 par un ingénieur qui était aussi un visionnaire. J'ajouterai que c'est à l'évidence délicat de concilier autant d'intérêts parfois opposés, court terme et long terme, France et développement à l'étranger, salariés et actionnaires, métiers de l'environnement et métiers des médias, profits nécessaires et luttes syndicales, mais que c'est notre rôle d'appuyer l'équipe de direction dans cette tâche chaque jour plus complexe. Peut-être par mon profil n'aurai-je pas tout à fait les mêmes réactions que vous, mais j'espère que ma présence sera un enrichissement pour cette maison à laquelle je suis, croyez-moi, aussi attachée que vous pour des raisons qui ne vous échapperont pas, j'en suis sûre.

Il y eut un instant de flottement à la fin de son petit discours qu'elle avait répété avec Alice de Montbazon deux jours auparavant. Ils ne savaient pas comment réagir. Pourtant elle était convaincue que les allusions aux innombrables conflits qui traversaient la société ne leur avaient pas déplu. Et puis le couplet, attendu mais inévitable, sur l'attachement à cette compagnie vampire avait aussi produit son effet. Luigi Signorelli avait consenti un imperceptible hochement de tête. Chavaignac paraissait soulagé. Manifestement, il avait eu peur d'un incident.

C'est l'Italien qui se lança le premier. Oh, ce n'était pas une ovation, juste deux mains qui approuvaient à leur manière, discrète. Son voisin, un homme massif qui la regardait pourtant d'un air réprobateur depuis le début, lui emboîta le pas. La moitié du conseil, Chavaignac compris, l'applaudissait. Elle se sentit heureuse et ferma les yeux. Elle savait que ce cirque n'avait aucune signification. Pas de leur monde, une intruse qu'ils toléraient parce que l'argent achète tout. Pourtant elle pressentait que Luigi avait sincèrement apprécié son discours. Rien ne l'obligeait à faire ça. À cette idée, une brusque émotion la submergea. Elle serra les lèvres et se redressa, l'air parfaitement indifférent, s'in-

clinant cependant très légèrement pour leur faire comprendre qu'elle n'était pas insensible à leur fair-play.

Chavaignac reprit la parole sur un ton primesautier. Il
expliqua que l'année se présentait bien. Les métiers liés aux
collectivités locales connaissaient d'excellents résultats, tout
comme les autres branches. Bien sûr il y avait quelques
soucis à l'horizon mais quel groupe n'en a pas ? Il évoqua
brièvement le cours de Bourse décevant – l'action avait
baissé lors du trimestre écoulé ce qui expliquait l'humeur
massacrante de quelques barons : impossible de toucher à
leurs stock-options. Il s'attarda ensuite sur les obscures déri-
ves du coût du nouveau siège américain : déjà cent millions
de dollars de dépassement du devis. Le principe d'une
action en justice contre l'architecte et certains fournisseurs
fut envisagé après l'intervention de l'administrateur au profil de taureau qui se révéla être là en tant que représentant
d'une banque actionnaire de la Compagnie. Quand elle
comprit qu'il s'agissait de la Société générale, l'ex-secrétaire
de Maraval fut à peine surprise. La banque qui était à l'origine du premier virement, sans imaginer que l'argent allait
prendre la fuite, devait se sentir directement concernée par
cette manipulation qui tournait au désastre.

Un administrateur s'agitait depuis un moment sur son
siège. Fluet, un front dégarni, il tranchait sur ses voisins
par son style vestimentaire, du prêt-à-porter ordinaire.

Chavaignac interrompit son exposé.

— Jean, vous vouliez intervenir ?

L'intéressé effleura son nez avec une certaine distinction,
ce qui semblait traduire chez lui de terribles tourments
intérieurs.

— C'est-à-dire que...

Le président comprit tout à coup.

— J'espère que votre hésitation n'est pas liée à la composition du conseil, cher ami. Même les derniers arrivés sont conscients du devoir de discrétion lié à notre mandat. Ils savent que tout manquement à cette tradition ne pourrait être que sanctionné avec la plus grande fermeté. Que vouliez-vous nous dire ?

Personne n'avait osé regarder dans la direction de Laetitia à qui était naturellement destinée l'allusion. Le cher ami parut rasséréné par ces précisions.

— Ça va nous coûter combien ?

Le président ne dissimula pas son étonnement.

— À quoi pensez-vous ?

— Mais voyons, aux avocats ! On connaît leurs tarifs.

— Écoutez, c'est Pascal qui s'en occupe, il suivra de près cet aspect des choses.

Grosvallon fit un signe de tête censé montrer qu'il était conscient de la gravité du problème. En se retournant vers lui, Laetitia aperçut son nouveau supérieur.

Le directeur financier siégeait donc lui aussi au conseil. Elle ne l'avait pas remarqué, tassé sur son fauteuil, en bout de table. La perspective de la retrouver une fois par mois dans cet endroit devait le déprimer d'autant plus qu'il avait déjà dû avaler une couleuvre. Lorsque Rémy Gaillon s'était plaint de ses deux secrétaires au président, celui-ci, d'après le téléphone arabe qu'alimentait frénétiquement Macomba, lui avait répondu en substance : « Vous avez vraiment mal choisi votre premier sujet de conflit ! »

L'économe administrateur ne paraissait pas tout à fait satisfait.

— Il faut se mettre d'accord dès le départ.

— Ne vous inquiétez pas, répliqua d'un ton docte le conseiller spécial, nous sommes habitués...

174

Le président enchaîna en présentant les projets de dépollution en cours dans plusieurs grandes villes. Pour des raisons électorales, la plupart des maires qui avaient fait appel à la Compagnie souhaitaient des travaux plus ambitieux et menés dans un calendrier plus serré tout en refusant de payer un franc de plus. La situation était bloquée.

— Ce sont en général des terrains où on a stocké pendant longtemps des déchets dangereux dont personne ne voulait. Et puis un jour on creuse là par hasard, il y a un scandale et on nous convoque pour régler le problème en deux mois !

— Ce sont des contrats intéressants ? demanda le banquier.

— En général, oui, surtout avec les avenants qu'on signe au fur et à mesure.

— Pourquoi ne pas utiliser ce procédé ?

— En modifiant les contrats de base, les élus ont peur des polémiques.

— Toujours les mêmes ! Ils se construisent des palais et ils mégotent sur des dépenses essentielles, dit d'une voix pointue le fluet parcimonieux.

Chavaignac se racla la gorge.

— N'en disons pas trop de mal, mon cher Jean, notre département BTP a réalisé la plupart de ces bâtiments.

— Ah bon, je l'ignorais, répliqua l'autre, penaud.

— Et si on résiliait les contrats de ceux qui ne veulent pas signer ? suggéra Rémy Gaillon d'un air modeste.

— Ce n'est pas si simple, dit Chavaignac en faisant une moue expressive, ce sont de bonnes affaires dans l'ensemble.

— Il y aurait une autre solution peut-être...

C'était Pascal Grosvallon qui prenait son air mystérieux pour se faire désirer.

175

— Soyons pragmatiques, acceptons la situation et rattrapons-nous sur d'autres marchés.

Chavaignac fit une grimace. L'idée ne lui plaisait guère à l'évidence.

Laetitia hésitait depuis un moment à intervenir. Était-ce le bon moment ? La laisserait-on parler ?

— Je pense à quelque chose, commença-t-elle timidement.

Le silence se fit à la seconde. Quelques sourires sarcastiques apparurent sur les visages les plus butés. D'autres paraissaient désolés comme si seules des sottises pouvaient sortir de sa bouche. Aucune émotion chez l'Italien. L'inquiétude de Chavaignac était à nouveau perceptible.

— Oui ? dit-il sans enthousiasme.

Se lancer et jouer sa chance jusqu'au bout. C'est ce qu'elle avait toujours fait jusqu'ici.

— Les élus sont sensibles aux réactions de l'opinion comme chacun sait.

— Fameuse nouvelle !

C'était Grosvallon qui avait craqué. Quelques-uns avaient levé les yeux au ciel.

— ... surtout depuis quelques années, poursuivit-elle comme si elle n'avait rien entendu, sur tout ce qui touche à la santé publique...

Chavaignac parut intéressé.

— ... il me semble aussi que les médias se passionnent pour ces sujets.

— Et alors ? aboya Grosvallon.

— Dans ce contexte, continua Laetitia sans le regarder, une intervention de notre président pourrait par exemple expliquer que la Compagnie est confrontée à une situation difficile, à savoir dépolluer de la façon le plus rigoureuse possible des zones sensibles sans en avoir les moyens.

— Ça ferait du bruit, grogna le massif représentant de la banque.

— Pas forcément, monsieur, aucun nom ne serait cité mais les maires se reconnaîtraient facilement et, à partir de là, on peut tout espérer...

— C'est du chantage ! lâcha d'une voix aiguë le directeur financier.

— Appelez ça comme vous voulez, dit-elle avec un large sourire.

— Et où cette interview ?

C'était le président.

— Je ne sais pas, répondit avec une parfaite hypocrisie la nouvelle administratrice, convaincue que chacun pensait au même journal, propriété du groupe de longue date. Ça relève de la compétence de la direction de la Communication.

Un murmure parcourut l'assemblée. Elle n'avait pas manqué son entrée dans le sérail. C'est un personnage jusque-là muet qui prit la parole. 40 ans, une barbe discrète, un air de comptable émancipé, il représentait, d'après les souvenirs que lui avait laissé le rapport d'activité, une importante mutuelle.

— La suggestion de notre... il chercha ses mots une seconde... collègue, me semble très pertinente. Elle évite des tensions inopportunes dans le climat amical qui s'est établi depuis des années entre les élus et la Compagnie, tout en montrant notre fermeté et en suggérant que nous pourrions prendre à témoin la population en cas de conflit prolongé. Oui, ça me semble vraiment astucieux.

— Oui, très bien.

— Il faudrait faire vite.

Les remarques favorables partaient maintenant de tout côté.

— Suggestion retenue, donc, enchaîna un Chavaignac rayonnant, je pense que nous trouverons bien une publication pour accueillir mon point de vue...

Les sourires entendus qui s'échangèrent autour de la table ne laissaient guère de doutes sur le média qui allait relayer le message de la CGP.

— ... merci de cette contribution à nos débats, madame Rossi.

Laetitia se pencha légèrement vers le président pour le remercier de sa remarque.

— Pour ne pas abuser de votre temps, nous ne passerons pas en revue tous les sujets prévus à l'ordre du jour. Ils font l'objet de toute façon d'une note de synthèse qui figure dans le dossier devant vous.

Laetitia ouvrit la chemise à son nom posée devant elle. Des textes courts, des colonnes de chiffres, des tableaux, l'ensemble était parfaitement présenté.

— Certains d'entre vous m'ont saisi d'une question délicate, je veux bien sûr parler de la date d'introduction de notre filiale BTP.

Laetitia tendit l'oreille. La Compagnie se coupait donc un bras, c'était désormais officiel. Le secteur dont les résultats étaient d'une rassurante stabilité, le bâtiment et les travaux publics, quittait la maison mère pour entrer en Bourse. Ce serait l'occasion de se débarrasser d'un paquet d'employés, ce qui rassurerait les actionnaires.

— La date a été fixée au 27 juin, c'est-à-dire le mois prochain. Je sais bien que la conjoncture est un peu morose mais justement c'est une raison de plus pour choisir ce moment. Et cela aura sûrement un effet dynamisant sur le cours de l'action.

Elle feuilleta le dossier à la recherche d'informations complémentaires. Elle ne trouva que vingt lignes qui n'apportaient rien à ce qui venait d'être dit.

— Un dernier mot enfin sur notre projet d'investissement au Brésil. Nous avons bien avancé depuis le conseil précédent et vous avez reçu, il y a quelques jours, tous les éléments sur ce sujet encore confidentiel. Nous pensons que le moment est venu, et sauf objection de votre part, je voulais vous informer que nous envisageons de conclure prochainement avec l'équipe de Rio-Mondo...

Un léger brouhaha accueillit ces propos. Chavaignac entendait manifestement emporter l'accord du conseil d'administration avant la fin de la séance.

— Des commentaires ?

Laetitia était sidérée. En une heure et demie, Chavaignac avait livré quelques chiffres, commenté l'évolution de chaque branche, fait surgir une ou deux questions sensibles et fait avaliser tout ce qu'il avait décidé. Le dossier brésilien, qui aurait mérité des échanges approfondis, allait-il être évacué en quelques secondes ? Était-ce ainsi que se dirigeaient les empires ? En homme habile, Chavaignac, il est vrai, donnait à tous le sentiment qu'il ne faisait pas un pas sans leur approbation.

— Bon, eh bien si nous sommes...

— Excusez-moi, monsieur le Président...

Il lui jeta un regard noir.

— L'investissement, poursuivit bravement Laetitia, est de quel ordre ?

Certains administrateurs avaient déjà commencé à ranger leurs affaires.

— Environ six milliards, répliqua sèchement Chavaignac.

— De francs ?

Sa naïveté feinte l'exaspéra.

— Non, d'euros évidemment !

L'attention du conseil fut brusquement ranimée par l'importance de la somme.

— C'est beaucoup, grommela le banquier.

— Les perspectives de développement, que ce soit celles de la télévision ou celles des produits dérivés, notamment de la vidéo, expliquent ce montant, répliqua le président contrarié d'avoir à se justifier.

— Pourquoi le Brésil déjà ? s'enquit le fluet.

— Le marché progresse de plus de 16 % par an, exposa avec conviction le responsable du dossier, la marge nette est de 6 % actuellement et...

— C'est en dessous des normes du secteur, non ?

Pascal Grosvallon se tourna vers Luigi en réussissant, au prix d'un effort prodigieux, à esquisser un sourire.

— Légèrement, en effet, mais la restructuration en cours et le plan que nous allons appliquer porteront la rentabilité nette à 8 % dès l'année 1, à 10 % en année 2 et à terme 16 %, ce qui sera un très bon résultat.

Laetitia n'y tenait plus.

— Pardon, monsieur Grosvallon, mais quel est actuellement le résultat de la chaîne ?

La grimace de l'intéressé valait tous les discours.

— Il y a un déficit maîtrisé.

— C'est-à-dire ? poursuivit-elle, impitoyable.

— Environ trois milliards... de francs.

— C'est presque 10 % du prix d'achat ! s'exclama Luigi.

Chavaignac voulut venir en renfort.

— Écoutez, cher ami, vous qui avez redressé tant d'affaires vous savez bien que ce qui compte c'est la position de l'entreprise sur le marché. Et sur ce plan c'est un excellent investissement, la chaîne est loin d'avoir fait le plein de son public, le droit local nous autorise à ajuster les effectifs dans de bonnes conditions, et il y a évidemment des synergies prometteuses avec notre division Médias-Europe notamment sous la forme d'achats couplés qui réduiront d'autant les budgets de programme...

— D'ailleurs, reprit le directeur de la division Médias du groupe, cette chaîne est leader absolu sur son marché avec près de 40 % de PDM, je veux dire de parts de marché, excusez-moi.

La fenêtre de tir se présentait enfin.

— Au fait ils ont de bons scores en matière d'information ?

Pascal Grosvallon frôlait la syncope.

— Je suis ravi, madame Rossi, que cette question vous passionne. La réponse tient dans deux chiffres : 43 et 61 %.

— Qui sont ?

— Les chiffres d'audience du journal de 13 heures et celui du 20 heures, réussit à articuler son interlocuteur.

Quelques soupirs de soulagement se firent entendre.

— Ça vous convient ? grinça Grosvallon.

— Certainement, ils sont excellents. Et depuis longtemps ?

— Depuis trois ans pour le 13 heures et depuis seize ans pour le 20 heures, dit-il d'une voix rauque.

— Parfait, parfait.

On entendit à nouveau dans la pièce le bruit des dossiers qu'on met en ordre.

— Eh bien, chers amis, je...

— Excusez-moi, monsieur le Président, juste une dernière question. C'est sûrement idiot vous avez dû y penser...

— Quoi encore ? dit Grosvallon un peu plus fort qu'il n'aurait voulu.

— Le présentateur du 20 heures... Diego Ramirez.

L'assistance se figea. Ils la regardaient, sidérés. Comment pouvait-elle connaître le nom de ce Brésilien ? L'Italien eut un petit sourire de connaisseur vite disparu.

— Diego Martinez..., balbutia un Grosvallon déstabilisé et à qui ce nom n'évoquait rien, à l'évidence.

— Ramirez, monsieur, c'est le PPDA local.

— Oui, oui, je sais.

— Dites-moi... son contrat ?

L'autre ne trouvait plus ses mots. Il regardait fixement dans sa direction, paralysé par la haine.

— Oui, son contrat ? Eh bien il en a un que je sache !

— Sans doute, continuait-elle, implacable, mais va-t-il le renouveler ?

La foudre tombant au centre du conseil n'aurait pas provoqué plus d'effet. La prestation de son lieutenant semblait désespérer Chavaignac.

— Car comme vous le savez, poursuivit-elle, un sourire insolent aux lèvres, il arrive à échéance à la fin de l'année. Huit millions de francs annuels et un parachute équivalent en cas de licenciement.

— Et... alors ? bégaya presque son adversaire, sonné par sa connaissance du dossier.

— Et alors ? Il se trouve que la principale concurrente de la chaîne est en négociation avec Diego Ramirez depuis près d'un an et il paraît même qu'il aurait déjà signé son transfert. Alors six milliards d'euros, ça n'est pas trop cher pour 61 % de PDM, comme vous dites, monsieur Grosvallon, et les deux tiers de la publicité du pays à cette heure-là. Mais s'il faut refabriquer un présentateur de cette envergure, et l'envoyer se battre contre Ramirez à mains nues, tout ça prendra un peu de temps. Et j'ai peur que les espérances de rentrées publicitaires qui figurent dans votre dossier, que je n'ai pas eu le plaisir de lire, ne soient très très optimistes, voilà où je voulais en venir.

— Mais comment... enfin d'où tenez-vous toutes ces informations ?

Même groggy, Grosvallon ne voulait pas quitter le ring.

— Oh, c'est simple. N'importe qui lisant le portugais aurait pu vous le dire.

— Mais de quoi parlez-vous ? demanda Chavaignac, partagé entre l'exaspération et l'admiration.

— Du *Jornal do Brasil* qui suit les aventures de ce feuilleton depuis plusieurs mois et que je me suis procuré quand j'ai appris que le groupe envisageait d'investir là-bas. Connaissant les penchants de monsieur Grosvallon pour la diversification dans des groupes audiovisuels étrangers, j'ai pensé à Rio-Mondo et voilà.

Lucide, le président de la CGP constatait que la situation lui échappait. Il fallait reprendre l'initiative.

— Pascal, fit-il en se tournant vers le directeur de la division Médias-Internet, je crois qu'il faudrait prendre un délai supplémentaire avant de nous décider. Le conseil vous charge d'approfondir la question du présentateur et, au-delà, de l'état des contrats de tous les animateurs-vedettes avec la chaîne. Nous ferons le point lors de notre prochaine réunion qui est fixée au 2 juin prochain, même lieu, même heure. Messieurs, merci de votre présence.

Chacun se leva et se dirigea vers la porte de l'immense pièce. Chavaignac se pencha vers Laetitia.

— À ce rythme-là, murmura-t-il d'un air moitié goguenard moitié contrarié, vous allez vite terminer dans mon fauteuil...

22.

Masques

— Tu as commencé à le dépenser ?

— Non.

— Pourquoi ?

— Disons par superstition.

— C'est pas ton genre pourtant.

Laetitia éteignit l'ordinateur et leva les yeux vers Sylviane.

— D'abord, cet argent est placé, comme chacun le sait ici.

— Tu parles d'une affaire ! ricana sa collègue.

Un article évoquant les déboires du groupe dans les ex-pays de l'Est et citant le chiffre d'un milliard de francs de pertes probables avait provoqué une nouvelle baisse le matin même. Pendant quelques semaines, elle avait gagné une fortune. Sur le papier. Et maintenant, elle devait près de deux cents millions à la BNP. Sur la base de son salaire, elle avait calculé combien de temps il lui faudrait pour rembourser : deux siècles. En pensant à ce chiffre, elle se sentit transpirer de peur.

— C'est la règle du jeu, dit-elle en essayant de paraître blasée, je ne peux pas avoir seulement les avantages de la situation.

— Tu ne vas pas déménager ?

— Je ne crois pas.

— Alors rien, pas de petits plaisirs ? Ah ! tout de même...

— Oh, ce n'est pas grand-chose, dit Laetitia d'un air nonchalant en déplaçant son sac pour le cacher sous son bureau.

— Montre-le, ne sois pas modeste !

Elle se pencha et tendit à contrecœur l'objet à son amie.

— Pas mal. Vuitton ?

Sylviane n'avait que des notions très floues de ce qui était tendance et de ce qu'il fallait impérativement éviter.

— Tu plaisantes ? Todd's.

— Ça vaut cher ?

— C'est pas donné.

Laetitia était gênée par le tour que prenait la conversation.

— Combien ?

— Un peu plus de trois mille.

En réalité, le sac coûtait cinq mille huit cents francs. Au sifflement que laissa échapper Sylviane elle réalisa qu'elle avait eu tort. Pas de l'acheter. De venir avec. Dorothée pénétra à cet instant dans le bureau. Elle semblait abattue.

— Qu'est-ce qui se passe ?

La secrétaire du DRH adjoint regarda Laetitia d'un air morne.

— Il a cassé.

— Qui ? demanda Sylviane.

Elle faisait partie de ces gens qui n'écoutaient jamais vraiment ce qu'on leur disait ou qui ne voulaient pas se fatiguer à reconstituer le chaînon manquant d'une discussion.

— Eh bien Daniel, lui répliqua énervée la malheureuse. Qui veux-tu que ce soit !

— Qu'est-ce qui s'est passé ?

— C'est à cause de la scène de l'autre jour, au cours de notre petite fête.

— Je suis désolée, dit Laetitia qui le pensait sincèrement.

— Ne t'inquiète pas, tu n'y es pas pour grand-chose. Ça n'allait déjà pas très bien. Il n'était jamais disponible. Et sa femme ne voulait pas le lâcher le week-end ! On s'engueulait de plus en plus.

— Ça ne peut pas s'arranger ?

— Cette fois je ne crois pas, dit-elle sans regarder Laetitia. Je ne sais pas ce que je vais faire.

— Tu n'avais pas un quatre-heures en réserve ?

Cette expression de la jeune femme rencontrait un vif succès auprès de ses collègues.

— Non. Enfin si mais... je l'ai un peu négligé ces derniers temps et j'ai peur qu'il se soit lassé. Et toi, comment ça va avec Jérôme ?

— On fait aller. Il est fatigant mais il se donne du mal...

Un sourire fugace apparut sur le visage de Dorothée.

— Tu penses à quoi ?

— Aux affaires, figure-toi !

Un téléphone sonna. Sylviane se saisit du combiné. Elle prit tout à coup le ton cérémonieux qu'elle adoptait depuis quelques semaines pour filtrer les appels de sa voisine de bureau.

— C'est pour toi, dit-elle en posant la main sur l'appareil. C'est personnel, il ne veut pas donner son nom.

Laetitia hésita.

— Plus tard. Dis-lui de laisser un numéro.

La secrétaire transmit le message. Au bout d'un moment elle baissa la voix en s'adressant à son amie.

— Il insiste, il dit que c'est très important et qu'il en a pour une seconde.

— Passe-le-moi.

Il y eut le bruit habituel des lignes qu'on bascule.

— Laetitia Rossi ?

— C'est moi.

— Excusez-moi de vous déranger. Denis Vautier, des *Échos*. Je voulais juste vous poser deux ou trois questions à propos de votre entrée dans le capital de la CGP.

Elle eut un coup au cœur. D'où sortait ce type ?

— Qu'est-ce qui vous permet...

— Je ne peux pas vous le dire mais je le sais. Ce qui nous ferait gagner du temps à tous les deux, c'est que vous acceptiez de me donner juste quelques précisions.

— Je ne souhaite pas parler à la presse.

— Comme vous voudrez. Le papier sera publié sans votre point de vue, c'est tout.

Elle ne savait plus quoi faire. Mais le président lui avait interdit de parler aux médias.

— En fait, reprit-il, ce que je voulais savoir, ce n'est pas grand-chose... c'est l'argent... vous en disposez à titre personnel ?

— Je ne comprends pas la question.

— Bon, je vais être plus clair. C'est le vôtre ?

Elle réfléchit aux moyens de se sortir du piège.

— Oui, naturellement, répondit-elle avec un parfait naturel sans avoir le moins du monde le sentiment de mentir.

Le journaliste parut désorienté.

— Ah bon ? Vous êtes sûre ?

— À quoi jouez-vous, monsieur ? dit-elle en essayant de prendre le ton impertinent de l'héritière outragée.

Sylviane et Dorothée, après avoir joué l'indifférence, ne cachaient plus leur intérêt.

— Vous savez, dit-il, en retrouvant un peu de son agressivité, pas mal de rumeurs vous concernant circulent en ce moment.

— Et vous allez faire un article sur une rumeur ?

— Non, pas du tout. Mais mon travail est justement de vérifier ce qui l'est et ce qui ne l'est pas. Certains acteurs du marché pensent ainsi...

— De qui parlez-vous ?

— De... d'analystes de grandes banques, par exemple, eh bien ils pensent qu'il est rare qu'une secrétaire... c'est bien le cas ?

— Oui.

— ... donc qu'une secrétaire dispose du jour au lendemain de quelques centaines de millions, et qu'elle passe par un établissement prestigieux pour acheter un gros morceau d'une des principales capitalisations boursières européennes, à savoir la CGP, et tout ça alors que l'action est à son plus bas historique et va vraisemblablement remonter.

— Pour l'instant, puisque vous prétendez être bien informé, ce n'est pas ce qui se passe.

Il y eut un rire feutré à l'autre bout du fil.

— Allons, vous savez parfaitement que c'est un accident boursier. Votre boîte est tellement sous-cotée qu'elle ne peut qu'exploser. Le Crédit Lyonnais et Goldman-Sachs la recommandent d'ailleurs à l'achat dans leur dernière note de conjoncture. Donc vous n'agissez pas pour le compte d'un tiers ?

Fallait-il répondre ? Si elle se dérobait, il pouvait évoquer un éventuel délit d'initié, ce qui serait désastreux. Mais continuer à s'expliquer, c'était tout aussi risqué. Benoît Chavaignac lui manqua tout à coup.

— Je n'agis qu'en fonction de mes intérêts, monsieur. Maintenant je suis désolée mais je ne peux pas vous parler plus longtemps.

— Une dernière question... Connaissez-vous un certain Signorelli ?

— Non, nia-t-elle d'une voix ferme en songeant qu'une question de cinq secondes adressée lors d'un conseil d'administration et un verre dans un bar pouvaient difficilement être assimilés à une relation suivie.

— Ah vraiment ? C'est curieux. Savez-vous que le nom de ce monsieur a été cité dans des affaires en relation avec des milieux... disons douteux ?

Elle resta saisie. Les deux femmes la dévisagèrent avec inquiétude.

— Vous accusez...

— Je n'accuse personne, madame ! J'essaye juste de faire mon métier.

— Je ne comprends pas du tout où vous voulez en venir. Voilà. Au revoir, monsieur.

Elle raccrocha brutalement. Elle avait l'impression de perdre pied. C'était une sensation horrible.

Une femme enveloppée, d'une cinquantaine d'années, qu'elle n'avait jamais vue entra alors dans la pièce.

— Je cherche Laetitia Rossi.

L'intéressée fit un signe de tête explicite.

— Ah c'est vous ?

La façon dont cette femme corpulente et sûre d'elle s'exprimait lui déplut fortement.

— Oui ?

— Quand l'argent tombe du ciel c'est sur votre tête, c'est ça ?

— Vous vouliez me voir pour me dire ça ?

La femme eut un rire de gorge assez vulgaire.

— Non, pas exactement. On ne se connaît pas, je crois. Manuella Kriegel du marketing.

Laetitia serra à contrecœur la main qui lui était tendue.

— Je suis venue parce que j'ai un problème avec ces abrutis de la DRH. Cela fait deux ans qu'ils me promettent de me faire passer cadre, mais à chaque fois je ne suis jamais sur la liste et...

— Je ne vois pas bien ce que je pourrais faire.

— Fais pas ta modeste ! On sait bien que tu fais la pluie et le beau temps en ce moment. Alors voilà, j'aurais voulu que tu me soutiennes auprès de Buté. Après tout, ça fait seize ans que je me décarcasse pour cette boîte et...

— N'exagérons rien !

C'était Dorothée.

— Toi, je ne te parle pas.

— Tu es trois mois sur douze en congé-maladie, grinça Dorothée d'un air mauvais, un mois en formation et le reste du temps tu ne fais pas le boulot qu'on te donne sous prétexte que c'est sous-qualifié !

La fréquentation intime de l'adjoint du DRH avait manifestement donné à sa secrétaire une vision plus complète de l'entreprise.

— Ce que tu racontes ce sont les saloperies de la direction, fais attention t'auras des problèmes toi...

Sylviane s'approcha de la vindicative créature.

— Allez, ça suffit.

— Vous ne l'emporterez pas au paradis toi et ta bande, siffla-t-elle tout en reculant vers la porte, on se retrouvera et peut-être plus tôt que vous ne croyez.

Elle tourna le dos aux trois femmes et disparut dans le couloir. Laetitia appuya sur le bouton le plus proche d'elle.

— Évelyne ? C'est moi. J'aurais besoin de voir vite le président. Oui, d'ici ce soir si possible. À 19 h 30 ? Ça me va très bien. Merci beaucoup, Évelyne.

23.

Poker menteur

Ce qui l'avait d'abord frappée c'était le vacarme que faisaient tous ces oiseaux en piaillant. Le bruit surprenait tellement en plein cœur de Paris qu'elle avait cru à une bandeson. « Tout le monde pense à ça mais non, ce sont de vrais moineaux en chair et en os », lui avait-il glissé d'un air complice. La cour intérieure de l'hôtel était magnifique. Le rouge des nappes, les parasols assortis, la vaisselle ancienne, le service attentif sans obséquiosité la transportaient sur une autre planète. À en juger par les signes amicaux qu'avait adressés à plusieurs personnes en pénétrant dans le restaurant du Plaza-Athénée Benoît Chavaignac, les convives se connaissaient tous plus ou moins. En passant près d'une table ils avaient été joyeusement interpellés par le représentant de la Société générale au conseil d'administration. « Cher ami, avait-il dit en consultant du regard Chavaignac, vous ne verriez pas d'inconvénient à ce que je vous enlève notre nouvelle collègue pour un déjeuner ? Non ? Parfait. Alors appelez-moi à mon bureau, voilà ma carte, le numéro est ma ligne directe. À bientôt. » Cette familiarité brutale l'avait laissée perplexe. Chavaignac, lui, fulminait. « Quel mal élevé ce Filippini. Faites comme vous voulez, vous n'êtes pas du tout obligée. Il ne vous a vue qu'une fois, et en plus je suis avec vous, ces banquiers se croient tout permis. » Au bout d'un moment, il avait fini par se calmer.

En quelques jours elle était devenue un objet de curiosité. Femme. Jeune. Secrétaire. Et membre du conseil. Et en plus un journaliste l'avait repérée. Quand elle avait évoqué l'incident, la veille, Chavaignac avait tout de suite libéré un déjeuner. Elle était pourtant de plus en plus soucieuse. L'action continuait à baisser. Et Signorelli n'avait plus donné signe de vie depuis leur dernière rencontre. Même au conseil, il était resté finalement assez froid. Elle aurait tant aimé voir son hôtel particulier, Villa Saint-James à Neuilly ou sa maison à Florence. Bien sûr, sa vision de l'existence était un peu effrayante au premier abord. Cette façon de parler des femmes, de son mariage, on avait le sentiment qu'il ne prenait en définitive que ses affaires au sérieux. Mais sa présence la stimulait. Elle s'entendait répondre mais ne se reconnaissait pas. Elle éprouvait le sentiment, en changeant de milieu, de changer de personnalité. Enfin pas tout à fait. Plutôt l'impression que des dispositions jusque-là enfouies surgissaient en elle. La capacité de parler familièrement à des gens à qui elle n'aurait même pas osé demander une cigarette il y a un mois. Comme si, à 29 ans, sa vraie personnalité s'épanouissait. C'était exaltant, troublant. Un peu inquiétant aussi.

— Vous ne m'écoutez pas, Laetitia ? Vous pensez à Filippini ?

C'était inimaginable mais il lui fallait bien admettre que le président était agacé par son banquier. Il paraissait tendu de surcroît.

— Je crois que c'est votre portable.

Elle sursauta et fouilla dans sa veste à la recherche de l'indiscret. Elle finit par l'attraper.

— Oui ?

— C'est Jérôme.

— Excusez-moi, dit-elle pour donner l'illusion d'une conversation professionnelle.

— J'en ai pour une seconde. La banque a passé ce matin un ordre de vente...

— De... de quoi ?

— De vente de tes actions.

Laetitia eut le sentiment que le sang se retirait de son visage.

— Mais ce n'est pas possible !

— En tout cas c'est ce qui s'est produit. Ça n'est pas passé par nous, c'est venu directement du service qui gère les gros comptes.

— De ton chef ?

— Non, dit-il en laissant filtrer son énervement, je te dis qu'on n'y est pour rien.

— Mais enfin comment...

Il l'interrompit sèchement :

— Il y avait un ordre de vente signé de toi.

— Hein ?

— Oui, un faux. Pas mal fait d'ailleurs, avec ta signature assez ressemblante.

Tandis qu'il continuait à lui donner des détails, elle éloigna le combiné de son oreille et adressa un signe d'excuse à Benoît Chavaignac qui parut ne pas se formaliser de cette conversation impromptue. De loin elle aperçut le feuilleté de bar aux légumes provençaux qui semblait pressé de rejoindre son assiette. L'agneau qu'il avait commandé avait aussi fière allure.

— La question qui se pose maintenant, dit-il d'une voix lugubre, c'est comment les empêcher de rapatrier l'argent...

— Grâce à un document du même genre. Sinon c'est la fin de l'histoire, c'est ça ?

Elle guettait l'œil du président de la CGP, mais son visage ne trahissait ni émotion ni intérêt particulier envers ses propos.

— Exactement, j'ai eu l'avocat. On pourrait déposer plainte pour faux et mettre un sacré bordel.

— Je t'en prie, dis-lui surtout de ne pas bouger.

— Comme tu voudras. Tu sais d'où ça vient ?

— Là, je ne peux pas te parler. Je te laisse, à plus tard.

Elle reposa le portable sur la table. Fallait-il entrer en guerre contre la banque ? L'obliger à racheter les actions ? Elle était prête à se battre mais jusqu'à un certain point.

— Rien de grave ?

Les talents d'acteur de Chavaignac étaient indéniables.

— Non, pas du tout.

— Ah bon, dit-il en ayant l'air rassuré.

— Une histoire de famille, un notaire qui a mal compris ce qu'on lui disait et qui a vendu des biens de valeur.

Elle le provoquait pour essayer de le pousser à la faute. Mais, détendu, il ne semblait pas du tout concerné par ses allusions.

— Pour en terminer avec ce que je disais, je suis content de vous. Vous avez fait forte impression lors du conseil. Plusieurs administrateurs m'ont appelé pour me le dire. Et nous tiendrons compte de vos observations, même si je vous trouve excessivement pessimiste sur notre affaire brésilienne.

Il laissa passer quelques secondes, comme s'il attendait sa réaction.

— Je ne prétendais pas trancher.

Elle devina sa pensée : il n'aurait plus manqué que ça !

— Nous comptons sur vous à long terme. Je vous ai donc amené...

Il se pencha vers sa mallette et posa sur la table la chemise volumineuse qui s'y trouvait.

— ... un protocole d'accord entre actionnaires puisque vous m'aviez donné votre accord de principe la dernière fois.

— Vous me laissez un moment pour y jeter un œil ?

— Oh, c'est un contrat très classique. Lisez-le, vous verrez il n'y a rien de compliqué, et signez-le comme ça on en sera débarrassé une fois pour toute.

Ce type voulait la persuader qu'il n'était pour rien dans l'histoire du faux en faisant l'innocent. Ou alors, il n'avait joué aucun rôle dans cette manœuvre, ce qui était tout de même difficile à avaler : alors qui ? Un nom s'imposait, bien sûr. Mais elle se méfiait de ce qui paraissait aussi évident.

— Benoît, je préfère regarder moi-même et avoir l'avis d'un spécialiste avant de signer quoi que ce soit.

— Vous craignez quoi ? On peut régler ensemble d'éventuels problèmes.

— Soyez gentil de ne pas insister, ma décision est prise.

Il parut déçu. Cette fois c'était son portable qui se manifestait.

— Oui ? dit-il d'un ton sec. C'est... Ah oui. Je ne peux pas... Bon, une seconde alors.

Au fur et à mesure que son interlocuteur parlait Chavaignac blêmissait. « Pourquoi maintenant ? » fut la seule question qu'il posa avant de raccrocher sans même une formule de politesse. Il y eut un silence.

— Pas de mauvaise nouvelle ? demanda-t-elle en masquant un sourire.

197

— Non, non pas du tout. Bon où en étions-nous ? dit-il en reprenant ses esprits. Ah oui, le protocole. Eh bien vous me le rendrez quand vous serez prête, vous voyez je ne vous mets pas le couteau sous la gorge.

Cette bonne volonté inattendue l'inquiéta. Tout à coup sa bonne humeur s'évapora.

Grosvallon ! il venait de lui confier son exploit. Liquidée la Laetitia. Sans actions, elle pesait quoi ? Du vent. Elle imaginait ses arguments. Benoît, il n'y avait pas moyen de faire autrement, cette folle aurait provoqué une catastrophe un jour ou l'autre. Il fallait passer en force.

Tenu à l'écart des basses œuvres, il ne lui restait plus qu'à avaliser le mauvais coup.

— J'apprécie votre patience, répliqua-t-elle avec une grimace qui disait le contraire.

Un serveur s'approcha et leur présenta la carte des desserts. Elle commanda un soufflé aux framboises et lui un moelleux au chocolat à la sauce pistache. Chavaignac attendit qu'il se soit éloigné.

— Au sujet de ce journaliste, vous n'auriez pas dû lui parler.

— Je le sais.

— Cela suffirait à justifier un papier qui ouvrirait des polémiques sans fin. Il ne faut jamais les prendre en ligne, je croyais m'être fait comprendre Laetitia.

Elle baissa la tête, l'air contrit.

— Si ça se reproduit vous les renvoyez sur la communication. Nos attachées de presse sont habituées. Demain pour une raison ou une autre ils pourraient récidiver, maintenant ils savent qu'ils peuvent vous piéger.

— Mais ils ne m'ont pas du tout...

— Laissez-moi parler, dit-il en soulevant ses volumineux sourcils, donc ils iront plus loin. Ça pourrait avoir de graves conséquences pour l'ensemble du groupe, vous comprenez ?

— Je ne suis pas aussi stupide que vous semblez le penser.

Chavaignac se radoucit brusquement.

— Je ne crois pas ça, loin de là, et vous le savez bien. Au contraire. Mais j'ai plus d'expérience que vous pour manier ces oiseaux ! Il y a un dernier point que je voulais évoquer avec vous.

Elle le regarda attentivement.

— Vous avez eu raison de souligner les faiblesses de la présentation de Pascal sur le Brésil...

Le dossier lui tenait à cœur pour qu'il revienne à la charge.

— Votre réaction me fait plaisir.

— ... mais comme vous l'avez compris je tiens à cette diversification pour diverses raisons. Le mois prochain, le conseil va de nouveau délibérer.

— C'est ce que j'ai cru comprendre.

— Et je serai peut-être obligé d'accepter un vote qui pourrait être serré d'après les échos qui me sont parvenus. J'attacherais une certaine importance au fait que vous me souteniez.

Cette présentation de la situation la laissa interloquée.

— Vous ne dites rien ?

— Il faut que j'y réfléchisse ; je crains que ce projet...

— Je vous ai entendue, dit-il d'un ton subitement moins doucereux. Mais j'insiste, Laetitia, c'est une décision qui engagera le groupe sur la durée.

Il y eut un silence vaguement menaçant.

— Bien, je vais y penser sérieusement.

— C'est une excellente idée...

Le portable sonna à nouveau.

— Évelyne ? L'avancer d'une demi-heure ? grogna Chavaignac en regardant sa montre, ça ne m'arrange pas. Bon, dites-lui que c'est d'accord.

Il raccrocha sèchement.

— Je vais devoir vous quitter.

Laetitia parut désappointée.

— On avait encore des choses à se dire.

— Je sais mais je n'ai pas le choix. Je dois voir le ministre des Finances, et son chef de cabinet vient d'appeler pour déplacer le rendez-vous. Avant de se quitter je voulais votre sentiment sur l'introduction en Bourse du secteur BTP.

— Oui ?

— Qu'est-ce que vous feriez pour vos petits actionnaires ?

— Ce ne sont pas les miens, répliqua-t-elle d'une voix brusque.

— Nous avons un problème, je vous en parle mais c'est très confidentiel, la moindre fuite...

— ... sur nos pertes en Ouzbékistan et en Russie ferait mauvais effet en ce moment, enchaîna Laetitia en affichant un sourire narquois malgré le stress qui l'envahissait en songeant à sa situation.

Chavaignac sursauta comme si elle lui avait demandé une augmentation.

— Mais comment... à part les membres du comité exécutif...

— Et notre première rencontre où vous aviez été si aimable avec moi, Benoît ?

Son interlocuteur était manifestement perplexe.

— Vous avez déjà oublié ? dit-elle pour rompre le silence. Vous étiez descendu spécialement pour aller terroriser Maraval.

— Ah oui, je me rappelle, dit-il avec bonne humeur. C'est cet incapable qui nous a plantés là-bas.

Elle jugea préférable de ne pas le contredire.

— Enfin j'ai réussi à m'en débarrasser sans trop de problèmes. Il a d'ailleurs reconnu ses responsabilités dans cette lamentable affaire. Mais maintenant c'est moi qui dois faire avaler la pilule à tout le monde.

Malgré son regard insistant elle gardait le silence.

— Alors pourquoi vous ne dites rien ? Où sont passées toutes vos idées ?

— Mes idées sur quoi ? murmura-t-elle d'un air candide.

— Oh, ne faites pas l'imbécile, Laetitia ! Les analystes sont survoltés en ce moment, comment faire pour qu'ils ne paniquent pas sur notre introduction ? Si on rate notre coup sur le BTP on aura beaucoup de mal à recommencer. Or, nous avons l'intention de faire à nouveau appel aux marchés pour nous financer, alors qu'est-ce que vous conseillez ?

Son ton était devenu presque suppliant. La situation paraissait plus sérieuse qu'elle ne le pensait.

— Le trou est de combien ?

— Un milliard huit à peu près.

Les derniers mots résonnaient comme un mensonge poli.

— À peu près ?

— Avec les dépenses indirectes disons trois milliards de francs. Ce n'est pas dramatique mais c'est tout de même 20 % du résultat attendu cette année. Ça va nous manquer.

— D'abord, je laisserais tomber pour une fois ce dont Jean-Louis raffolait... comment appelez-vous ça, ces avertissements pour prévenir la Bourse...

— Les profit-warnings. Justement, on a prévu d'en faire un, c'est très classique et les Anglo-Saxons adorent ça.

— Croyez-moi, ne le faites pas. La dernière fois qu'une grande société française a joué à ça...

— ... elle a perdu 38 % de sa valeur dans la journée, merci, je sais. Mais Alcatel à l'époque maîtrisait mal sa communication financière ce qui n'est pas notre cas. Jamais dans toute l'histoire de la Compagnie...

— ... l'action n'a varié de plus de 10 % sur une journée et de plus de 30 % sur l'année, je connais le discours, dit Laetitia d'une voix monocorde. Il n'empêche que les spéculateurs réagissent de plus en plus vite et de plus en plus brutalement surtout.

— Vous vous trompez, croyez-moi je connais le sujet, le profit-warning est la bonne manière de faire tomber la pression avant l'annonce des résultats semestriels.

— Mais l'introduction en Bourse de la filiale BTP va tomber au même moment. Et on vous a pas mal critiqué pour avoir pris cette décision. Alors, même si ça n'a aucun rapport, les gestionnaires de comptes pourraient y voir une confirmation de leurs doutes et vendre...

— Qu'est-ce que vous allez chercher ! l'interrompit Chavaignac, brusquement sombre. Écoutez, contentez-vous de m'aider, je vous demande comment s'y prendre avec le grand public c'est tout !

Elle ne se formalisa pas du changement de ton de son interlocuteur.

— Je pense qu'il vaut mieux leur expliquer le désengagement du groupe parce que...

— Ce n'est pas du tout ça, j'ai...

— Laissez-moi finir, dit-elle du ton abrupt qu'il affectionnait habituellement. Moi par exemple, petit actionnaire du groupe...

Un sourire forcé apparut sur son visage. La discussion s'était tendue en un instant.

— ... je dois avouer que je ne comprends pas très bien pourquoi on laisse tomber des secteurs qui gagnent de l'argent régulièrement pour se lancer dans l'audiovisuel. C'est beaucoup plus risqué. Et en plus il me semble qu'il y a plus de concurrence que dans le bâtiment sans vouloir être désagréable pour personne...

— Oh, l'époque des ententes est finie aujourd'hui presque partout, dit-il en ayant l'air navré.

— Tout est dans le *presque*.

— Non, croyez-moi, fit-il en levant les bras au ciel, ça a existé évidemment et on en a bien profité. Mais le XXIᵉ siècle ne va pas connaître un boom de l'immobilier ! C'est la communication qui explose, on le voit tous les jours, il me suffit de regarder mes enfants, ils sont branchés sur le câble, ils ont leurs portables de la deuxième génération avec le WAP, ils...

— Benoît ?

— Oui.

— Vos enfants ne payent pas, dit-elle d'une voix si douce qu'elle en était terrible.

Elle portait le fer sur un terrain sensible, elle le savait. Parmi les histoires qui circulaient sur le président de la CGP l'une d'elles avait frappé les employés, et particulièrement les femmes. Pour familiariser son fils de 13 ans et sa fille de 9 ans à ce que représentait l'argent, Chavaignac avait décrété, disait-on, un principe simple : si l'un d'eux ne finissait pas son repas à la maison on lui retenait l'équivalent de ce qu'il avait coûté sur ses économies. Les mères de famille de la CGP avaient été horrifiées par ce système, tout comme, disait-on, sa propre épouse.

— Évidemment qu'ils ne payent pas, lâcha le pédagogue exaspéré. Mais un Français sur deux a un portable non, je n'ai pas rêvé ? Écoutez, je ne vous consulte pas sur la stratégie du groupe de toute façon.

— Je ne crois pas l'avoir souhaité.

Les commentaires sceptiques des journalistes et des financiers énervaient souvent Chavaignac. Même à l'intérieur du groupe la liberté de discussion sur ces sujets évoluait dans un cadre étroit. Au-delà de l'ardoise russe et de son éventuelle responsabilité, Maraval avait aussi payé sa critique voilée de la stratégie du président, relayée par une garde rapprochée aux ordres. Membre du prolétariat de la Compagnie, actionnaire de référence déchue, il était absurde de penser qu'il accepterait d'elle ce qu'il refusait en temps ordinaire aux barons du groupe.

— Excusez-moi, je suis sous pression en ce moment, dit-il comme s'il regrettait de s'être laissé aller, nos grands actionnaires sont exigeants à un point que vous n'imaginez pas.

— Je comprends. Au fait, je voulais vous demander quelque chose. Finalement, vous l'avez acheté Rio-Mondo ?

Chavaignac parut gêné.

— Aucune décision définitive n'a été prise.

— Vous avez signé quoi ? demanda-t-elle avec aplomb.

— Pas grand-chose, dit-il en s'agitant sur son siège, juste un accord d'intention selon lequel nous avons une priorité s'ils vendent à un certain prix.

— Et si on renonce ? dit-elle, décidée à éclaircir une fois pour toutes l'affaire.

— On paye un dédit assez symbolique.

— Combien ?

— Quatre cents millions je crois.

Il posa la main sur la sienne d'un geste doux qu'elle ne lui avait jamais vu.

— On reparlera de tout ça. J'ai besoin que vous m'aidiez. Là on y va parce que je suis déjà en retard à mon rendez-vous, mais on se revoit demain, d'accord ?

Il se faisait agneau maintenant.

— Je vais réfléchir, répliqua-t-elle d'un ton neutre. Peut-être que je vous ferai une note.

Son air surpris l'agaça.

— Mais vous croyez quoi ? Qu'on ne sait même pas écrire notre nom ?

Sur cette réplique qui le laissa pétrifié, elle se leva dignement et se dirigea vers la sortie du restaurant où la Mercedes du groupe attendait.

24.

L'escapade

La boutique Prada, à Florence, tenait à l'étroit sur deux étages de la via Tornabuone, au cœur de la vieille ville. Les nombreux panneaux représentant une voiture aux mains de la fourrière locale dissuadaient les plus aventureux de se garer dans les parages. La BMW 730 s'arrêta en face de l'entrée. Le chauffeur ouvrit la porte, laissant Laetitia bondir hors de la voiture. Luigi Signorelli lui fit un signe avant de la rejoindre d'un pas énergique. En regardant la façade de la célèbre marque italienne, elle pensa aux décisions qu'il lui faudrait bientôt prendre. Négocier le retour des 600 millions au bercail ? Pourquoi pas. Mais avec qui ? Et le trou provoqué par la baisse de ces derniers jours : qui allait payer ? Ils avaient les moyens de la ruiner et de l'endetter jusqu'à la fin de ses jours.

Elle poussa la lourde porte et pénétra dans la planète des riches. Au rez-de-chaussée, le magasin exposait les chaussures qui avaient tant fait pour sa notoriété dans le monde. Presque toutes arboraient de très hauts talons et des couleurs bariolées qui pouvaient, à la longue, fatiguer l'œil. Laetitia s'arrêta devant un modèle d'une sobriété qui tranchait avec le reste de la production.

— Noir, c'est un peu triste, non ?

Luigi était derrière elle, tout près d'elle, mais ne la touchait pas. Elle se retourna.

— Vous trouvez ? dit-elle gaiement, moi j'aime bien cette discrétion, et puis les lanières, elles sont d'une finesse.

L'Italien se tourna vers la vendeuse qui s'approchait d'eux.

— *Quanto costa ?*

— *Un milione dieci mila lire*, répliqua-t-elle d'un ton déférent.

— *Non più di quello ?*

Laetitia fit semblant de se fâcher.

— Ça n'est pas bien de parler une langue que je ne comprends pas, dit-elle d'un air boudeur.

— Pardon *Contessa*, je ne le ferai plus.

Luigi Signorelli avait eu autrefois une liaison passionnée avec la femme d'un aristocrate français qui sévissait à l'ambassade de Rome, sous les lambris du Palais Farnese. Elle avait suivi son époux lorsqu'il avait changé de poste. En souvenir de cette aventure qui ne semblait pas complètement éteinte dans son esprit, il l'avait affublée de ce surnom.

Une paire de bottes en daim ornées de franges assez voyantes qui auraient fait fureur dans les boîtes de nuit du Saint-Tropez des années 70 attira son attention. Elle songea à ce voyage inattendu.

Ils étaient partis de l'aéroport du Bourget deux heures avant, à 18 heures, dans son avion privé, un Falcon d'une vingtaine de places. C'est à ce moment-là seulement que la situation lui était apparue clairement : Chavaignac et lui ne boxaient pas dans la même catégorie. Elle se rappelait leur conversation lorsqu'il était passé la prendre au siège de la CGP en fin d'après-midi.

— J'ai pensé dîner villa San Michelle, c'est un endroit assez agréable que vous ne connaissez peut-être pas, lui avait-il dit au téléphone.

— Si, je le connais de nom, mais ça m'étonnerait qu'on aille là, vu que c'est à Florence.

Il avait laissé passer un silence et s'était contenté d'une phrase :

— Mon avion nous attend.

La vendeuse venait de prendre les chaussures et s'apprêtait à les emballer lorsque Laetitia éprouva tout à coup des remords.

— Luigi, je ne veux pas, finalement. Je vous ai dit que ça m'amusait de voir la boutique Prada mais pas que je voulais la dévaliser... à vos frais.

Il eut un large sourire et parut ravi de ses objections.

— Ma précieuse, murmura-t-il d'une voix basse en ayant recours à ce langage fleuri qu'il appréciait. Quand une jolie femme accepte quelque chose d'un homme, surtout d'un vieillard comme moi, c'est elle qui fait le cadeau et pas lui. *Lei è stupenda.*

Même si elle n'était pas dupe, Laetitia se sentit grisée par la distinction qui enveloppait la générosité de ce grand seigneur italien dont la presse de son pays, elle l'avait découvert tardivement, suivait avec délectation les aventures, amoureuses ou financières.

— Non vraiment, dit-elle plus faiblement, en sachant tout ce que sa résistance avait de symbolique.

Il la prit par le bras d'un geste amical, sans être tout à fait familier, et l'entraîna vers l'étage inférieur.

— Venez, allons voir les robes et les bustiers en bas.

— Vous semblez bien connaître l'endroit, dit-elle en faisant la moue.

— J'ai mes raisons.

La Secrétaire

Et il éclata de rire, sans ajouter d'explication. La vendeuse les suivait, impavide, deux pas en arrière, l'air vaguement réprobateur. En bas de l'escalier, le rayon lingerie débordait d'articles aux couleurs extravagantes. Après avoir jeté un regard sur plusieurs ensembles qui auraient réveillé un mort, elle en désigna un à la vendeuse qui le décrocha de la tringle. Une robe grise, prise dans une ceinture en cuir noir, compléta le trousseau.

— C'est tout, Contessa ? Ils ont aussi de beaux manteaux je crois...

— Non c'est parfait. C'est déjà beaucoup trop mais dans ce domaine je suis une faible femme et vous en abusez, dit-elle en baissant les yeux.

Elle pénétra dans une cabine pour essayer le string rouge et le soutien-gorge assorti qu'elle avait choisis.

— Venez voir si ça vous plaît, murmura-t-elle en jetant un coup d'œil à la vendeuse qui semblait frappée de stupeur.

Il souleva le rideau et entra, l'air désinvolte. Mais au premier regard, elle sut qu'il aurait du mal à se détacher de son emprise.

— Magnifique, vous êtes..., bredouilla-t-il en essayant de rester maître de lui-même.

— Je suis contente que ça vous plaise, dit-elle en minaudant pour dissiper la gêne qui menaçait de s'installer. Oh, bien sûr, ça ne vaut pas vos Ferrari...

Signorelli était connu pour sa passion des bolides de Maranello. Les journaux s'extasiaient sur son goût de collectionneur dans ce domaine.

— Ne dites pas ça, Laetitia, vous êtes incomparable.

— Alors là, j'ai l'impression de marquer un point ! dit-elle en éclatant de rire.

Il fit un signe d'acquiescement et sortit de la cabine.

210

La vendeuse lui tendit un papier. Il s'appuya sur une table proche où on avait installé de manière artistique des sacs tendance SDF-Christian Dior dont raffolait la petite élite des oisives prêtes à payer au prix fort le sentiment d'être dans le coup, et apposa sa signature. Il fit un signe de tête en direction de la jeune femme. On entendit un bruit discret et la porte de la boutique s'ouvrit en coulissant.

— *A riverderla dottore.*

Dans la rue, Laetitia sauta au cou de son protecteur.

— Oh merci, c'est adorable, vous êtes le plus charmant des hommes.

— Ce n'est pas grand-chose, ma petite comtesse française, fit-il en rejetant d'un mouvement brusque ses cheveux blancs en arrière pour masquer son émotion, on croirait que je vous ai acheté la boutique !

Cette phrase la fit sursauter.

— Au fait, vous n'avez pas payé ?

Il confirma par un signe de tête.

— Alors en Italie on peut s'en sortir comme ça, juste en signant un papier ?

— Moi je peux, dit-il avec une fausse modestie irrésistible, enfin dans certains endroits.

Elle voulait comprendre.

— Donc ils vous connaissent bien ? dit-elle d'une voix traversée tout à coup par le doute. Vous faites ça souvent et vous passez les payer à la fin du mois ?

Un mince sourire fut sa seule réponse.

— Oh ! Luigi ne me rendez pas folle, expliquez-moi !

Il la dévisagea, sous le charme. Il se décida enfin à lui donner satisfaction.

— Je suis le deuxième actionnaire de Prada, ça m'aide à faire les courses, mon ange.

Pendant le trajet du centre de Florence jusqu'à Fiesole, petit village blotti dans les hauteurs de la ville où était située la villa San Michelle, magnifique couvent dessiné, disait-on, par Michel-Ange et transformé en hôtel de grand luxe, elle le harcela de questions auxquelles il répondait aimablement mais plutôt succinctement. Docteur en médecine, il avait repris un laboratoire pharmaceutique moribond à 32 ans et en avait fait une multinationale respectée où il avait fait entrer ses deux sœurs.

La BMW s'arrêta devant le bâtiment Renaissance. Laetitia sortit de la voiture, éblouie par le spectacle de la cité étalée sous ses yeux deux cents mètres plus bas. Un maître d'hôtel les attendait et les guida jusqu'au restaurant, installé sous les voûtes de l'hôtel. Une seconde elle eut le vertige. Elle commanda un bellini, comme lui. Seuls les Italiens réussissaient ce cocktail à base de champagne, de liqueur de pêche et de pêche fraîche inventé par le fondateur du Harry's Bar de Venise. C'est Luigi Signorelli qui maintenant voulait tout savoir d'elle. Ils avaient donc parlé de ses études de comptabilité, de son entrée précoce dans la vie active, de sa famille, de la carrière militaire modeste de son père. Des convictions de sa mère aussi, employée à la Caisse d'Assurance-maladie et qui consacrait une bonne partie de son temps aux bonnes œuvres que lui désignait le curé de sa ville natale d'Évreux en qui elle avait eu pendant vingt ans une confiance aveugle, jusqu'à ce qu'il soit contraint d'abandonner son sacerdoce à la suite d'une méchante affaire de pédophilie. L'histoire l'avait fait rire et elle avait dû lui livrer des détails.

Au fur et à mesure qu'elle le laissait pénétrer dans son intimité, Luigi Signorelli éprouvait une curiosité réelle pour cette personne déroutante.

— Vous connaissez Benoît Chavaignac depuis longtemps ? demanda-t-elle avec curiosité.

— Six ans, non sept. Et vous ?

Sa question la surprit.

— C'est-à-dire que je travaille à la CGP depuis plusieurs années mais que je n'ai fait sa connaissance que ces dernières semaines.

— Est-ce indiscret de vous demander dans quelles circonstances ?

Cet homme était dangereux, elle le sentait. La moindre imprudence lui serait fatale. Mais elle était seule depuis le début de cette histoire. Trop seule.

— C'est délicat. Je ne sais pas exactement ce que je peux vous dire...

— Contessa, vous me plaisez. Je ne voulais pas parler affaires avec vous et si vous n'en avez pas envie ne répondez pas. La seule fois où nous avons parlé de la CGP c'est lors de notre première rencontre, et on peut très bien en rester là. Mais si vous avez des choses à me dire sachez que vous pouvez avoir confiance en moi comme j'ai confiance en vous, fit-il en désignant le décor qui les entourait et symbolisait l'intimité de sa vie à laquelle il l'avait fait accéder.

Elle le regarda fixement. Elle gagnait onze mille francs par mois. C'est ce que devaient lui rapporter ses salaires, ses placements et ses dividendes toutes les six minutes. Un invraisemblable concours de circonstances les avait mis en présence l'un de l'autre, lui le milliardaire cosmopolite, elle la secrétaire sédentaire. Sur quoi allait déboucher cette rencontre ?

Laetitia, qui avait résisté avec obstination à l'éducation religieuse que sa mère avait essayé de lui inculquer, se sentit troublée. L'intérêt que lui manifestait cet homme était un signe. Certes, il était riche. Très riche. Mais ce n'était pas un crime après tout. Comment éviter l'engrenage dans lequel elle s'était laissé piéger ? Quels moyens utiliser pour neutraliser cette peste de Grosvallon ? En un mois elle n'avait jamais eu peur. Et là, tout à coup, projetée dans les palais des puissants à qui rien ne pouvait arriver, elle éprouva le sentiment de son impuissance. Au milieu de Sylviane et de Macomba, sa force s'imposait. Confrontée à une situation dangereuse où les repères se dérobaient, elle était minuscule et mesurait l'ampleur des risques pris. Un procès où elle laisserait le peu qu'elle avait, un licenciement qui ne serait pas annulé in extremis cette fois. Et les copines plongées dans de graves difficultés, ses parents affolés par ce qui lui arriverait. Disparu dans la tempête le Benoît, elle ne se faisait aucune illusion. Quant à Jérôme, il se retrouverait au mieux en psychothérapie. Au pire... Quand ses yeux se posèrent sur le visage ridé et majestueux de Signorelli, elle crut y voir tant d'attention sincère qu'elle en fut bouleversée. Les larmes montaient en elle. Impossible de les arrêter, c'était une déferlante longtemps contenue, un soulagement de toutes les tensions de ces dernières semaines. Elle avait vu trop grand et maintenant elle s'écroulait, se détestait. Ah ! tu voulais une autre vie ? Eh bien tu l'auras ! Fini les rêves de mégalomane, les postes prestigieux, le chemin étroit vers les sommets du groupe, les administrateurs qui la courtisaient, les barons qui se préparaient à la craindre. Et longue vie à tous les Grosvallon de la Compagnie, prospère carrière à tous les Buté du groupe !

Elle sentit tout à coup sa main sur la sienne. Son geste était si tendre que ses sanglots silencieux redoublèrent. Un couple installé à une table voisine faisait semblant de ne s'apercevoir de rien tout en suivant avec délices la situation. Ils devaient imaginer une crise sentimentale, une rupture peut-être. *Mia Cara*, murmurait-il d'une voix émue sans poser les questions exaspérantes, insupportables à celui qui souffre.

Ses doutes avaient complètement disparu. Avaient-ils jamais existé ? se demanda-t-elle. Dès qu'elle l'avait vu dans le hall de la compagnie, au premier regard, elle avait su qu'il allait bouleverser sa vie. Le moment était venu. Si elle ne s'était pas trompée sur Luigi Signorelli. Celui-ci ne disait toujours rien. Il leva le bras et un serveur approcha à grandes enjambées. Il commanda deux autres bellinis et l'obligea à regarder la carte.

— Il y a des moments, j'ai connu ça aussi vous savez, où on a l'impression qu'on ne va pas y arriver. Mais il y a toujours quelqu'un, il y a toujours un chemin...

Laetitia se redressa. Comment pouvait-il utiliser ce mot-là, lui aussi ?

— Luigi, il faut que je vous parle.

— Je sais. Mais prenez votre temps, on n'est pas pressés. Puisque vous êtes déjà venue une fois à Florence, est-ce que vous reconnaissez le Duomo là-bas ? Non ? Là, sur votre gauche, voilà. Et le Palazzo Vecchio un peu avant ? Et le Ponte Vecchio au fond ?

Tandis qu'il lui décrivait sa ville et lui parlait des Médicis qui l'avaient façonnée comme s'il sortait de chez l'un d'eux, elle s'apaisait. Elle n'avait rien à redouter de lui.

Alors elle lui raconta tout, en essayant de ne pas oublier un seul détail. Le relevé bancaire et ce qu'elle avait pris pour une erreur informatique. Le pari de jouer avec cet argent pour se transformer en Lolita du capitalisme. Sa rencontre avec Jérôme qui l'avait guidée pour sortir le trésor de la banque. La chance qui l'avait aidée à ce moment-là. Le crédit qui avait accompagné sa nouvelle position à l'intérieur du groupe. La haine de Grosvallon. Et puis la décision de la faire entrer au conseil. Pourquoi elle avait décidé d'évoquer le dossier brésilien, ses doutes sur le projet, les heures passées à travailler le dossier, le mépris qui accueillait ses remarques.

Elle décrivait les procédures internes, critiquait le cloisonnement, l'irresponsabilité de nombreux cadres supérieurs, la légèreté avec laquelle on investissait cent millions, et le poids de la bureaucratie pour souscrire un abonnement de huit cents francs à une revue spécialisée, les start-up achetées au plus haut, dans l'euphorie, dont plus personne ne s'occupait et qui allaient un jour ou l'autre provoquer de mauvaises surprises à l'autre extrémité de la planète. À cet instant, il l'avait interrompue, brusquement soucieux.

— On a des intérêts en Asie, vous êtes certaine ?

— Oui, le groupe possède une société qui fait de l'immobilier, des logements au Vietnam, des hôtels en Thaïlande...

Elle le sentait sceptique. Pour le convaincre elle lui avait parlé de Maraval, des conditions dans lesquelles elle avait appris l'existence de ces filiales exotiques. Elle avait mis en scène la descente de Chavaignac à la direction financière, les soupçons qu'elle avait sur le rôle de Grosvallon dans ces décisions. Elle n'en finissait pas de parler et lui de l'écouter.

Elle expliquait le fonctionnement de la direction financière, les risques de change pas toujours couverts. Plus elle se confiait et plus Luigi Signorelli paraissait inquiet. Il lui posa encore quelques questions sur le Brésil.

Elle poussa tout à coup un profond soupir. Il fallait qu'il sache.

— De toute façon, c'est trop tard.

Il se cabra. La formule ne lui plaisait pas.

— Qu'est-ce que vous dites ?

— Benoît m'a dit qu'ils avaient déjà signé un accord avec eux...

— Un accord ?

Son visage se durcit sous le coup de la fureur.

— Les deux parties s'engagent à négocier ensemble sur le prix et la CGP paye quelque chose si ça ne se fait pas en définitive.

— Combien ?

— Il m'a cité le chiffre de... combien déjà... ah oui quatre cents millions.

Luigi Signorelli sursauta.

— Mais il n'avait pas le droit ! La décision du conseil était claire.

— Je n'ai aucune preuve mais je serais prête à parier que c'était signé avant.

— C'est incroyable. Je n'ai jamais vu un pareil mépris.

Le Florentin digérait ce qu'il venait d'apprendre.

— Je peux vous demander quelque chose ? dit-il d'une voix rauque.

Elle se pencha vers lui.

— À quoi pourrais-je bien vous servir Luigi, vous qui avez tout ?

— Ne croyez pas ça. Ils vous ont déjà parlé de moi ?

— Franchement, non.

Il réfléchit pendant un moment. Un garçon déposa les desserts devant eux. L'Italien attaqua sans conviction la glace au tiramisu.

— Quelles sont leurs relations avec moi à votre avis ?

— Je n'ai aucun élément pour le dire mais je pense qu'ils se méfient de vous.

— C'est absurde, j'ai toujours soutenu le management. Vous êtes sévère avec eux. Vous avez des raisons de leur en vouloir ?

— Oui et non.

— Dites-m'en un peu plus.

— Ils se sont servis de mon compte en banque pour essayer de blanchir de l'argent du groupe en quelque sorte.

Signorelli écarquilla les yeux.

— C'est le côté positif, ça explique que nous soyons ici ensemble ce soir...

— Et l'autre côté ?

Au souvenir du sale coup un accès d'indignation l'envahit.

— Eh bien, ils ont fabriqué un faux pour vendre en douce toutes mes actions de la CGP. Je ne suis même plus actionnaire et demain ils vont se débrouiller pour me liquider !

— Ils ont... vendu vos actions, dit-il avec effarement.

— Oui, toutes !

— Ça s'est passé quand ?

— Je ne sais pas exactement. Je déjeunais hier avec Benoît quand il a reçu un appel. Je suis sûre que c'était à ce sujet.

— Hier ! Ça veut dire que le marché a dû bouger aujourd'hui. Je n'ai pas regardé les cours sur mon écran cet après-midi, quel imbécile !

Elle le regarda du coin de l'œil. Il accusait le coup. Son silence l'intimidait.

— C'est grave Luigi ?

— Ça va peser sur le marché... Il suffirait d'une étincelle pour que l'action explose. Vous permettez ?

Elle hocha la tête tandis qu'il sortait son portable de sa veste et composait un numéro.

— Je suis horriblement indiscrète mais... vous appelez qui ?

— Mon agent de change à New York. Wall Street va fermer bientôt... Mark ? Luigi. Je viens d'avoir une mauvaise intuition, rassurez-moi sur... Quoi ?

Au fur et à mesure que son interlocuteur anonyme parlait des rides nouvelles s'étendaient sur son front. Enfin il mit fin à la conversation.

— Alors ?

— L'action s'est écroulée de 32 % à l'ouverture. Tout le monde vendait.

Laetitia était au supplice.

— C'est horrible, tout ça à cause de moi, à cause de ces sales actions, de ces salauds de...

Luigi Signorelli posa un doigt sur sa bouche.

— Doucement Contessa, ne vous emballez pas comme le cheval fou que vous êtes ! Vous n'y êtes pour rien. Ce n'est pas vous qui avez voulu cet argent et ce n'est pas vous qui avez vendu.

— Qu'est-ce qui s'est passé ?

— Les gérants de fonds pensaient que le groupe allait annoncer quelque chose mais rien de grave. Or, ils ont publié un profit-warning assez rude. Là-dessus, ils voient arriver sur le marché un paquet d'actions. Et de France en plus. Ils se disent qu'un actionnaire de poids ou quelqu'un qui a un tuyau essaie de sauver les meubles. Ça suffit à déclencher la panique, c'est classique. C'est juste dommage que ce soit à moi que ça arrive...

Il y eut un bref silence.

— C'est très grave pour vous cette chute du cours ?

— Oh ! je ne vais pas devenir un *disoccupato* du jour au lendemain, dit-il en fixant un point au loin qu'elle ne devinait pas, mais c'est ennuyeux.

— Dis... quoi ?

— Pardon, c'est le mot italien pour chômeur, c'est un peu péjoratif. La CGP ne représente pas l'essentiel de ma fortune mais ce qui ne va pas c'est la tendance.

— La tendance ?

— Quand Chavaignac a été nommé, largement grâce à moi, d'ailleurs, ce que j'avais représentait environ trente milliards de francs. Les premières années, le cours a progressé correctement, un peu en dessous de l'évolution moyenne de la Bourse, mais on nous expliquait qu'il fallait investir et que nous allions cueillir les fruits plus tard. Maintenant, on y est et qu'est-ce qui s'est passé ? L'action a baissé de près d'un tiers en quelques jours. Ces messieurs me font perdre de plus en plus d'argent.

Se sentant coupable, elle ne savait plus quoi dire.

— J'ai peut-être une idée, fit-il, subitement de meilleure humeur.

— Oui, maestro ?

Il sourit d'un air carnassier.

— Le 2 juin, il y aura un nouveau conseil...

Elle laissa échapper un soupir déchirant.

— Oui, mais je n'y serai pas puisque je n'ai plus...

— Écoutez-moi une seconde. Vous allez garder quelques actions, deux ça suffira.

— Mais...

— Je vous les ferai donner.

— Je ne peux pas...

— Mais laissez-moi finir bon sang !

Luigi Signorelli se rapprocha de la table. Leurs visages se touchaient presque. Son excitation grandissait tandis qu'il exposait son plan. Lorsqu'il eut terminé il lui caressa la joue de sa main hâlée et l'interrogea du regard.

— C'est d'accord, dit-elle en lui adressant un sourire complice.

L'Italien s'empara de son verre avec une vivacité qui la surprit et le leva dans sa direction.

— À vous, ma *picola Contessa francese* !

Il se pencha vers elle et l'embrassa avec une fougue juvénile.

25.

Liquidations

Lorsqu'elle se présenta devant la barrière, elle aperçut, derrière les agents chargés de la sécurité qui s'agitaient dans leur local, les fameuses fissures, toujours là, intactes. Elle eut un coup de sang. Saisissant son portable, Laetitia composa la ligne directe de Buté.

— Bonjour Daniel, dit-elle d'une voix glaciale. Je vous avais demandé de vous occuper de ces murs qui partent en morceaux sous le porche. Vous vous en souvenez ?

Un gardien tapait discrètement sur sa vitre.

— Oui, et alors ? J'avais donné des instructions précises, marmonna-t-il, contrarié par cet appel matinal.

— Rien n'a été fait.

— C'est anormal, je vais...

— Oui, ce serait une bonne idée.

Elle éteignit son téléphone. Amusant de laisser filtrer ses pulsions légèrement sadiques.

Elle appuya sur le bouton de la vitre.

— Bonjour, madame Rossi, dit le gardien d'un ton respectueux tout en regardant, médusé, la 607 gris métallisé. Vous avez une bien belle voiture aujourd'hui.

L'employé de la Compagnie ne s'expliquait pas la fulgurante promotion de cette secrétaire qu'il n'avait jamais remarquée jusque-là.

— Oui, j'ai changé, dit-elle avec un sourire éclatant, j'en avais assez de ma Clio.

— Je vous comprends, réussit à articuler le gardien qui n'avait toujours pas fini de payer sa 406 d'occasion.

— Vous ne m'ouvrez pas, ce matin ?

— Si si bien sûr, madame, bonne journée.

Elle lui adressa un signe de tête bienveillant que l'homme jugea méprisant. La barrière se leva et elle entra dans la cour intérieure. À 9 heures du matin, l'état-major était déjà là. Pour bien commencer la journée, elle décida de prendre la place de Grosvallon qui n'était pas réputé pour ses horaires matinaux. Elle raconterait l'anecdote à Luigi.

Le souvenir de leur week-end restait vivace dans son esprit. Il s'était révélé un amant très tendre. Sa vigueur n'avait rien d'éblouissant mais elle était compensée par son savoir-faire. Le décor enchanteur de sa villa florentine avait lui aussi contribué à la magie de ces deux jours hors du temps. Le contraste avec le retour à sa vie quotidienne l'avait brièvement déroutée. Pas facile d'éviter les fantasmes. Cette histoire ne durera pas, se répétait-elle pour se protéger de toute déception.

Elle était en train de fermer la 607 lorsqu'elle vit Sylviane qui traversait le hall. Elle l'appela en forçant la voix. Sa collègue se figea, regardant autour d'elle. Au bout de quelques secondes elle sortit du bâtiment, médusée.

— Je croyais avoir mal vu. C'est quoi cette bagnole ?

— Une Peugeot.

— Eh bien ça va de mieux en mieux pour toi.

— Chavaignac a insisté pour que j'aie une voiture de fonction.

— Tu te débrouilles pas mal, on dirait. Et tes amours ?

— Oh, rien de neuf, répliqua son amie, décidée à laisser dans l'ombre les péripéties de sa vie sentimentale. Et toi, qu'est-ce que tu as fait ce week-end ?

— Oh, les gosses ont été insupportables...

Sylviane commençait à lui décrire les bêtises des deux gamines au moment où elles pénétraient dans le hall de la Compagnie.

Des tables rudimentaires avaient été installées dans l'immense espace. Bijoux de pacotille, statuettes, jupes de tous les pays, bracelets, tapis s'étalaient au fil des stands improvisés. Beaucoup d'employés allaient d'une échoppe à l'autre, prenant les objets en main et discutant les prix. Elles contemplaient, surprises, le spectacle lorsque, tout à coup, la Sénégalaise surgit.

— Hé ! c'est ma blanche colombe ! Comment tu t'portes ma toute belle ? T'as vu ma p'tite fête ? On a improvisé ça vend'edi, je voulais t'en parler mais t'étais int'ouvable. Le Buté m'a autorisé not'e installation jusqu'à 10 heures alors on n'a p'us beaucoup de temps... Tiens je vais te mont'er le stand bijouterie, y'a des affaires pas possib'es à faire !

— J'ai pas le temps, Macomba, j'ai beaucoup de boulot, aujourd'hui.

— C'est vrai, t'as intég'ée le haut conseil, t'es une VIPÉ, dit-elle en s'inclinant jusqu'à terre.

— Fais pas l'imbécile.

Il y eut un brouhaha derrière elle. Laetitia aperçut Chavaignac qui franchissait les portes coulissantes du hall en même temps que l'Africaine. Elle n'eut pas le temps de réagir. Macomba accompagnée de sa petite bande s'était précipitée avec force acclamations sur le patron de la CGP.

— P'ésident, p'ésident, v'nez qu'on vous fasse visiter la foire.

Le destinataire de ces paroles enthousiastes regarda d'un air de bête traquée autour de lui pour essayer de trouver un moyen de fuir. Mais la nouvelle collaboratrice de la direction internationale avait déjà saisi sa proie et l'attirait au centre de ce souk improvisé. Elle repoussait sans ménagement ceux qui voulaient s'approcher de sa nouvelle conquête.

— Embêtez pas le p'ésident vous aut'es, hurlait-elle dans son langage mis au point au fil des années, vous inquiétez pas j'suis là. Vous voulez voir le stand des rob' du soir pou' vot'e femme ?

Chavaignac, paralysé par cette employée enthousiaste qui l'emportait avec autorité dans son sillage, ne répondait que par des onomatopées incompréhensibles.

— Tiens, voilà mon oncle, il fait le marabout, ça vous intéresse, non, pour vos p'tites affaires ? Hé ! Léopold, amène-toi que je t'int'oduise au p'ésident s'pèce de voyou, je plaisante, en vérité c'est un bon garçon, il a une g'osse clientèle vous savez et il peut tout vous faire. Les envoûtements, vous connaissez ?

Chavaignac aperçut Grosvallon qui entrait et lui envoya des signes de détresse tel le navigateur croyant repérer du secours au bord du rivage. Mais l'autre qui avait reconnu l'Africaine entourée de sa petite armée de dingos faisait semblant de ne se rendre compte de rien.

— Pascal, glapissait le président en perdition, Pascal ! Mais il n'entend rien cet abruti !

Le sorcier venait de lui glisser une sorte de poupée d'un aspect bizarre entre les mains.

— Prends ça, mon ami, et pense très fort à ton ennemi.

À cet instant Chavaignac songea à Grosvallon qu'il aurait étranglé avec plaisir.

— Voilà, comme ça, concentre-toi bien.

Tiens celui-là avait une prononciation normale, songea-t-il. Un faux Africain ? Tout à coup il sentit une douleur à l'un de ses doigts.

— Excuse, mon ami, mais il faut un peu de ton sang.

Le malade lui avait piqué l'index. Mais qui allait le délivrer de ces fous ? D'ailleurs qui les avait autorisés à installer leur bric-à-brac dans son empire et à se livrer à cette mascarade ? Il retira brutalement sa main.

— Ça suffit comme ça.

Macomba donna une taloche au pseudo-oncle.

— Triple idiot, t'as vu comme t'as fait mal au p'ésident ? laisse-le t'anquille mauvais oiseau !

Mais l'autre s'accrochait à la victime qu'on lui avait confiée et murmurait à voix basse des imprécations inquiétantes qui tournaient autour d'un refrain monotone. Il prit Chavaignac par l'épaule avec une force peu commune.

— Le malheur sera sur tes ennemis avant la fin de l'été, je leur ai envoyé la malédiction de Yacaponto, c'est une chose inventée autrefois...

Le hall était maintenant bondé. Tout le monde assistait avec bonne humeur au spectacle. Le président de la CGP méditait sur le moyen de retrouver sa dignité sans provoquer un esclandre. Avant qu'il ait pu arrêter une tactique, l'Africaine l'avait arraché à son sorcier.

— Viens, président, je vais t'initier aux ta'ots, c'est une bonne amie à moi qui va t'les ti'er, tu vas voir tu vas t'inst'uire.

Le couple de l'année tanguait mais continuait sa progression au milieu des employés qui s'écartaient, avec des grimaces expressives, sur son passage.

Tout à coup, la rousse de la DRH sortit du cortège.

— Ah, bonjour monsieur le Président.

Macomba parut contrariée.

— Laisse passer Dorothée, le p'ésident a pas le temps.

— Juste un mot, j'ai demandé un changement de service, monsieur le Président, est-ce que j'ai une chance ?

Chavaignac se demandait qui était cette personne.

— Écoutez, il faut d'abord que je voie votre dossier...

L'Africaine se glissa entre lui et l'ancienne petite amie de Buté qu'elle écarta sèchement.

— Ça y est, on arrive, chouchaï, chouchaï !

Une vieille édentée surgit entre deux piles de livres. La minuscule Chinoise se courba avec un respect comique et désigna un siège à Macomba qui, d'une bourrade musclée, fit asseoir Chavaignac. En quelques secondes, la voyante posa avec adresse ses cartes sur une petite table installée devant elle.

— Je vois un homme noir à côté de toi, il est grand, il joue un rôle dans tes affaires.

Toutes sortes de pensées traversaient l'esprit du président : après tout on pourrait aussi la faire entrer au conseil d'administration, celle-là, au point où on en était.

— Tu le crois fidèle, poursuivait, inspirée, la centenaire, mais tu te trompes, il joue son jeu et il te trahira à la première occasion...

Elle parlait un peu trop bien cette vieille. Un agent dormant du gang ? Il entendit brusquement des éclats de voix provenant du hall d'accueil. Un groupe de visiteurs s'en prenait avec vivacité aux hôtesses. Chavaignac essaya de comprendre ce qui se passait mais il était trop loin.

— Et là une femme, elle est jeune, elle a de l'énergie, elle te montre une autre direction, elle va te faire découvrir un pays neuf, tu feras des affaires.

Il ricana intérieurement. Et s'il remplaçait l'imbécile de DRH adjoint par cette rousse délurée ? Les réunions de direction seraient moins pénibles.

228

— Allez viens, mon p'ésident, dit tout à coup la Sénégalaise en l'entraînant d'une poigne de fer pour mettre un terme à la prestation de la Pythie. Avant de t' laisser je voud'ais te mont'er les colliers de bonne chance. C'est un collègue à moi qui les fait venir de Guinée, ils ont été bénis par le chef de son village et ils amènent que de l'amour, et de la fortune...

Au fur et à mesure qu'elle lui parlait, il sentait sa résistance faiblir.

Amusée, Laetitia suivait des yeux la prise d'otage. L'épanouissement des salariés prévu par la charte de la CGP était enfin en bonne voie. Elle aperçut à cet instant le groupe qui avait attiré l'attention de Chavaignac. Il lui sembla reconnaître des uniformes de gendarmes.

— C'est amusant de le voir se débattre comme ça, dit une voix familière à côté d'elle.

Elle se retourna. C'était Alice de Montbazon.

— Comment vont tes affaires ? demanda la secrétaire de Pascal Grosvallon.

— J'intègre la direction de la communication la semaine prochaine, normalement. On prend soin de moi en ce moment, je ne peux pas me plaindre.

— Je m'en doute, continua Alice, mais fais attention, c'est quand ils deviennent aimables qu'il faut vraiment se méfier.

La phrase ressemblait à un avertissement amical.

— Ce qui veut dire ?

— Rien de spécial, sois juste sur tes gardes, dit-elle, énigmatique.

À l'intonation de sa voix, Laetitia réalisa qu'elle en savait plus qu'elle ne le montrait.

— Alice ?

— Oui ?

— Tu connais l'histoire depuis le début ?

— Je crois, dit-elle en lui adressant un sourire complice.

— Tu sais que l'argent...

— ... vient de chez nous, oui bien sûr.

— Et que j'ai été choisie...

— Comme boîte aux lettres, en quelque sorte.

— Pourquoi fallait-il...

— Planquer ce magot ? C'est très simple. C'est une partie de la caisse noire de la Compagnie. L'argent est alimenté par des circuits de vente non déclarés que nous avons dans l'ex-URSS et qui devait aller vers des personnages peu recommandables chargés de nous obtenir des marchés dans différents pays...

— Et alors ?

— Ils ont eu peur d'une saisie judiciaire.

— Et je suis entrée en piste, c'est ça ?

— Voilà.

Elle parlait d'une voix tranquille, comme si tout était parfaitement normal.

— Mais...

— Pourquoi t'avoir choisie ? Il fallait trouver quelqu'un capable de mettre un peu d'animation dans cette boîte. Juste un petit grain de sable...

Laetitia fit la moue.

— C'est donc à toi, si je comprends bien, que je dois ma gloire éphémère ?

— C'est possible, dit Alice de Montbazon avec un sourire entendu.

— Mais... ça aurait pu mal tourner.

— Pour qui ?

— Eh bien pour moi, par exemple.

— C'est vrai, c'était un risque à prendre.

Laetitia écarquilla les yeux. Ce cynisme tranquille la laissa sans voix. Alice de Montbazon en profita pour s'éloigner tout en désignant d'un geste le président de la Compagnie.

— Ne le perds pas de vue, ce qui va suivre devrait t'intéresser. Je te laisse, à plus tard.

Avant que Laetitia ait pu ajouter un mot, elle s'était éclipsée dans la foule. C'était elle, la fidèle employée, qui avait eu cette idée machiavélique pour régler ses comptes avec cette Compagnie qu'elle aimait et détestait à la fois. Quitte à faire plonger une collègue.

Tout à coup, elle aperçut Daniel Buté qui, attiré par le vacarme, venait d'arriver dans le hall. Il regardait, consterné, l'assistance sans comprendre la situation. Quand il reconnut Chavaignac, son visage se décomposa. Celui-ci croisa son regard.

— Daniel, rugit-il de joie, venez ici, sortez-moi de là bon sang !

— Mais je ne peux pas, président, articula le malheureux qui gardait un souvenir cuisant de sa dernière tentative de ramener ces gens à la raison.

— C'est un ordre, Daniel ! hurla Chavaignac, vous m'entendez ? Cette toquée m'a pris en otage et...

— C'est pas de moi que tu pa'les, p'ésident quand même, l'interrompit Macomba sincèrement offusquée.

— Euh si, enfin non madame, bredouilla l'autre au bord de la crise de nerfs. Daniel, qu'est-ce que vous faites ? Revenez c'est un ordre !

— Je vais chercher de l'aide, ne vous inquiétez pas, grimaça son collaborateur apeuré en amorçant une retraite vers les ascenseurs.

Tout à coup on entendit une voix qui suggérait une autorité officielle.

— Mais qu'est-ce qui se passe ici ? C'est bien le siège de la Compagnie Générale de Participations ? disait un homme apparemment contrarié.

— Je ne l'imaginais pas du tout comme ça, enchaîna une femme qui se tenait un pas derrière lui, d'un ton mi-pincé, mi-sarcastique.

Le président de la CGP essaya de se hisser sur la pointe des pieds, mais tous ces gens l'empêchaient de voir quoi que ce soit. Seule la chevelure brune d'une des hôtesses d'accueil émergeait au-dessus de la foule. Tout à coup l'otage de Macomba entendit distinctement ce que répétait l'homme invisible depuis un moment.

— Mademoiselle, je suis le juge Peyraut, voilà ma greffière, et je veux voir Benoît Chavaignac, vous comprenez ?

Impuissante, la jeune fille lui montrait la cohue pour lui faire comprendre que son interlocuteur était là, quelque part, dans un endroit qu'elle s'avouait incapable d'identifier.

— Je suis là ! glapit désespérément le président qui préférait encore la compagnie du célèbre juge à celle de la Sénégalaise, je suis juste à côté de vous !

— On dirait qu'on nous appelle, dit la voix qui appartenait à la greffière.

— Ici, braillait le grand patron, avancez droit devant vous.

Le bruit des rires l'empêchait d'entendre la conversation des nouveaux venus. Macomba, qui trouvait de plus en plus impoli son nouveau compagnon, se tourna vers lui.

— On va te les amener tes amis, p'ésident, si t'y tiens tellement. Tant pis pour toi, tu se'as jamais un g'and initié mais si tu veux absolument nous quitter t'es lib'e.

Elle fit un geste théâtral et la foule s'écarta. En quelques secondes la pression autour de lui avait disparu. À une

232

dizaine de mètres il découvrit ses visiteurs. Les uniformes des gendarmes l'impressionnèrent. La femme, un peu sèche, le fixait d'une façon inquiétante. Curieusement, l'homme lui inspira confiance avec son costume élégant et ses fines lunettes cerclées d'or qu'il jugea de mauvais goût. Tandis que les employés reprenaient le chemin de leurs bureaux et que la petite troupe de vendeurs et de beaux parleurs commençait à plier bagage, Chavaignac se força à afficher un sourire qu'il croyait naturel, mais qui donnait à ceux qui l'observaient le sentiment qu'il sortait juste de l'asile. Les deux hôtesses ne pouvaient s'empêcher de le regarder à la dérobée, héberluées par son état d'agitation.

— Monsieur le juge je suis content de vous voir.

Le magistrat inclina légèrement la tête.

— Je vous remercie monsieur le président. Je ne suis pas habitué à un accueil aussi chaleureux, dit-il d'un ton pince-sans-rire. Je vous présente ma greffière et ces messieurs de la brigade de Versailles où j'exerce, comme vous le savez peut-être.

— Certainement, certainement, répétait Chavaignac avec une bonne humeur qui amena ses visiteurs à échanger des coups d'œil inquiets.

Macomba avait rejoint Laetitia.

— Tu vois ma p'tite, lui confia-t-elle sur le ton du secret d'État en montrant Chavaignac, il a pas voulu de l'exorcisme, il a pas voulu de la voyante chinetoque, eh ben moi je t'le dis, il va bientôt pu avoir que ses yeux pou' pleu'er ce pauv'e ga'çon. Y sera au trou plus vite que mon oncle !

Laetitia se surprit à penser que les prédictions de la Sénégalaise valaient bien celles de Grosvallon.

De loin elle captait la conversation.

— Si vous voulez monter dans mon bureau, monsieur le juge, susurrait un Chavaignac très protocolaire tout à coup, et madame bien sûr... Peut-être que ces messieurs pourraient nous attendre quelque part ? Nous en avons pour un moment je suppose ?

— Je ne crois pas, répliqua le juge d'une voix douce après avoir échangé un regard complice avec sa greffière, ce sera court, je viens juste vous signifier votre mise en examen.

Chavaignac entendait sans comprendre. Lorsqu'il réalisa ce qu'on venait de lui dire, il eut un geste de la main comme s'il cherchait de l'air, et glissa lentement vers le sol. Il s'était évanoui.

26.

Responsabilités

— Ça vous ennuie si je fume ?

Benoît Chavaignac jeta un bref coup d'œil à Rémy Gaillon.

— Oui.

Le directeur financier remit la main dans la poche de sa veste.

— Excusez-moi, je ne savais pas.

Le président dodelinait de la tête. Il avait mal dormi. L'idée que son avenir dépendait désormais d'un juge d'instruction l'avait tenu longtemps éveillé. Il se reprocha de ne pas avoir engagé à prix d'or deux ou trois magistrats bien vus de leurs collègues comme l'avaient fait ses concurrents. Maintenant il était trop tard.

— Aurais-tu l'amabilité de nous expliquer comment se présente la situation, Pascal ?

Grosvallon craignait les colères froides de son vieux complice. Justement, plusieurs signes semblaient montrer qu'il y en avait une qui couvait. Éviter absolument de le prendre de front. Surtout après ce qui s'était passé la veille. Jamais le président ne s'était retrouvé dans une situation aussi humiliante.

— Le bon côté des choses c'est qu'il n'a mis sous séquestre que trois comptes, deux à la Société générale et un à la Barclays...

— Et le mauvais ? dit la voix d'outre-tombe de Chavaignac.

Pascal Grosvallon se tortilla dans son fauteuil. De là où il était il apercevait la terrasse avec ses plantations d'oliviers, ses fleurs multicolores et, au-delà, la masse de l'Arc de Triomphe et, tout à fait au fond, la forêt des tours de La Défense. Les trois hommes savaient que leur situation était délicate. Le plus furieux était Gaillon. Depuis sa sortie de l'ENA, il avait toujours soigneusement évité de prendre le moindre risque. Ce talent lui avait valu une carrière qui faisait l'admiration de ses proches, et de sa mère, une respectable octogénaire qui vivait à Neuilly depuis quarante ans. Il se trouvait dans une situation qui à ses yeux ressemblait beaucoup à un parfait cauchemar. Des décisions rapides s'imposaient. Il était sur le même plan que le sbire de Chavaignac, qu'il détestait depuis le premier jour, un Machiavel de couloir qui ne connaissait rien ni aux affaires ni à l'administration ; il ne sortait d'ailleurs même pas de l'école. Et puis la cerise qui donnait du goût à cet abominable gâteau : le juge !

— Le mauvais côté, tu le sais aussi bien que moi, répondit, faussement désinvolte, le conseiller spécial, c'est que le loup est dans nos murs. D'ici à deux jours il aura accès à tous les comptes du siège, mais aussi des filiales, et il pourra tout geler si ça lui chante !

— Il y a tout de même quelques règles de procédure, commença Rémy Gaillon.

Pascal Grosvallon vit avec une joie qu'il réussit à dissimuler que cette remarque exaspérait son vieux complice.

— Il le fera si ça lui chante, rétorqua Benoît Chavaign. en regardant d'un air sévère son directeur financier, et ce ne sont pas vos objections qui pèseront bien lourd, croyez-moi. Je suis étonné par votre candeur...

L'autre ne voulut pas s'avouer vaincu.

— J'ai déjà eu l'occasion de voir...

— On n'a pas le temps, il faut trancher un certain nombre de choses ce matin. En clair, Pascal, tu nous dis qu'il ne reste plus qu'à oublier nos 600 millions, c'est ça ?

Rémy Gaillon avait été informé de l'existence du compte secret Marie-Antoinette cinq minutes avant de monter au neuvième étage. Bien obligé, le conseiller spécial lui avait présenté une version très simplifiée du processus qui avait abouti à l'enrichissement sans cause d'un des soixante douze mille employés de la CGP. Il avait cependant préféré passer sous silence la vente forcée des actions de Laetitia Rossi. Inutile d'entrer dans des détails qui pourraient se révéler gênants un jour.

— Non, bien sûr qu'on ne va pas les lâcher, marmonna Grosvallon, excédé que le poids de ce désastre retombe sur ses épaules, mais il vaut mieux sans doute attendre un moment avant de tenter autre chose.

— C'est dommage, hein ? dit Benoît Chavaignac d'une voix douce en fixant son conseiller.

Celui-ci hocha la tête sans ouvrir la bouche. Il ne tenait pas à ce que le directeur financier en sache plus que le strict nécessaire. Mais Chavaignac, poussé par la colère, n'entendait pas en rester à cette prudence.

— Oui, figurez-vous mon cher, dit-il en se tournant vers Gaillon, que ce génie ici présent a eu une idée remarquable il y a quelques semaines...

Pascal Grosvallon fit un signe pour dissuader son vieux complice de poursuivre.

L'interphone présidentiel produisit le grésillement habituel.

— Oui. Parfait, dites-lui d'attendre je n'en ai pas pour longtemps...

Benoît Chavaignac se tourna vers son souffre-douleur.

— Pascal c'est ton amie...

Interpellé, celui-ci fit un geste à la limite de la grossièreté.

— Qu'est-ce que je disais ? Ah oui, ce cerveau supérieur a donc fabriqué un faux ordre de vente. Ça a tellement bien marché, grâce aussi il faut le dire à l'absence de curiosité de nos amis de la BNP, qu'un paquet de deux millions de titres CGP s'est retrouvé sur le marché dans les deux heures ce qui, ajouté à quelques échos de presse, a provoqué un effondrement immédiat de notre cours en Bourse !

Au fur et à mesure que son interlocuteur parlait, Rémy Gaillon blêmissait. Il venait de comprendre à quel point il était exposé. Jamais il n'aurait dû venir à cette réunion.

— ... La question d'actualité, mon cher Rémy, est donc : lequel de nos comptes pourrait accueillir l'argent que cette fille nous a volé si ces gens de la BNP ont la gentillesse de nous le rendre !

Le directeur resta pétrifié. Il essayait sans succès d'évaluer les risques juridiques liés au transfert d'une telle somme. Tout mouvement financier devait être qualifié et obéir, du point de vue de l'entreprise, à une logique claire. Il n'avait jamais eu à affronter une situation aussi invraisemblable. Un tel virement semblait très contestable du point de vue de l'intéressée. Il allait se retrouver en première ligne en cas de pépin. Il devinait la mentalité de ses deux voisins : dernier arrivé, premier à sauter ! Cette philosophie des affaires ne lui convenait pas du tout.

— Il faut consulter un spécialiste des abus de biens sociaux, rétorqua-t-il d'une voix ferme. C'est une matière qui est devenue incroyablement complexe depuis quelques années et je ne peux pas trancher comme ça en une minute.

— S'il s'agissait de consulter un avocat de plus, grommela Chavaignac en tordant la bouche de façon expressive, qui nous expliquera que quoi que nous fassions nous prenons un risque, je n'avais pas besoin de vous.

— Je peux me retirer, fit le directeur financier qui se souleva de son fauteuil.

Le président se pencha en avant et étendit le bras avec une violence mal contenue.

— Une seconde, je ne vous ai pas dit de sortir !

— J'avais cru...

— Je vous demande de nous aider à trouver une solution à la hauteur de votre réputation, pas de compliquer un dossier qui l'est déjà suffisamment !

— Je ne vois pas...

Benoît Chavaignac se rejeta au fond de son siège.

— Mais vous êtes payé pour ça, mon vieux, pas seulement pour aller aux frais de la CGP au Waldorf présenter nos résultats à ces salopards d'analystes.

— J'ai décidément peur de ne pas pouvoir vous être d'une quelconque utilité, déclara Rémy Gaillon d'un air solennel, bien décidé à sauver sa peau, et qui n'appréciait guère l'allusion à son séjour à New York destiné à apaiser des analystes financiers assez agressifs.

Le conseiller spécial songea que c'était le moment d'ajouter un peu d'huile sur le feu.

— Cher ami, on ne vous demande pas grand-chose. La situation est simple. Trois comptes sont bloqués par ce juge. Une dizaine d'autres sont désormais sous surveillance. Il suffit de trouver une filiale à l'étranger et peut-être de créer une société-écran pour la circonstance et l'affaire est dans le sac.

Le directeur financier aimait de moins en moins la tournure prise par cette réunion.

— Si vous m'aviez engagé pour faire ce genre de chose vous auriez dû me le dire tout de suite, dit-il du ton du mari trompé.

Pervers, le conseiller spécial insistait.

— Vous ne comprenez pas, Rémy. Il s'agit au contraire de faire les choses dans les règles. Nous n'avons aucune intention de... enfin de monter un système qui pourrait... je veux dire qu'on pourrait contester. Vous imaginez bien que ce n'est pas le genre d'une maison comme la nôtre.

Dans quel panier de crabes ai-je mis les pieds, pensait le directeur financier qui en savait déjà assez pour évaluer le degré de moralité de la CGP. Maison, oui, se disait-il, mais de passe, et avec toi dans le rôle du mac.

— Mon cher Pascal, répondit-il du même ton mielleux, je n'ai évidemment pas le moindre doute sur vos pratiques, la question ne se pose même pas. Simplement on ne peut pas se lancer à l'aveuglette dans une affaire aussi délicate. Ce que je propose donc...

— Mais on n'a pas le temps, vous comprenez ça ! éclata Chavaignac qui faisait un effort surhumain pour se contrôler. On a vendu les actions CGP de cette tordue dans son dos mais elle a encore le fric ! Et elle doit être remontée. Alors, il faut le récupérer d'urgence, vous comprenez ça espèce de...

Benoît Chavaignac laissa sa phrase inachevée.

Le ton du président ne convenait plus du tout à son nouveau collaborateur peu habitué, par ses origines et son parcours professionnel, à être maltraité de la sorte. Rémy Gaillon se leva.

— Je crois avoir fait preuve de bonne volonté, monsieur le Président, mais à ce stade je ne peux plus rien vous apporter. Ce dossier dépasse à l'évidence le cadre de mes compétences.

Pas mal joué, espèce de vicieux, songea Grosvallon en le regardant se retirer du bureau sous l'œil haineux de Chavaignac. Lorsqu'il fut sorti de la pièce celui-ci explosa :

— Quel enfoiré ! Il a la trouille, ça se voyait hein ?

— Un peu que ça se voyait, répéta l'autre qui, par expérience, savait que ce n'était pas le moment de nager à contre-courant.

— Ah, le juge, ça, ça l'a achevé, hein ?

— J'ai l'impression.

— Comment a-t-on pu prendre un imbécile pareil ?

— Je me permets de te rappeler que je n'ai jamais senti ce type.

Un nuage passa devant les yeux du président.

— Finalement on aurait peut-être pu garder Maraval encore un moment. Il aurait trouvé une solution, lui, et sans faire de manières comme ce guignol. Bon alors, on fait quoi ?

— À mon avis il faut passer un deal avec elle maintenant, dit Grosvallon sans enthousiasme.

— De quel genre ?

— On lui laisse quelque chose et elle rapatrie l'argent sur le compte qu'on lui désigne. En réalité, quoi qu'il en pense, fit le conseiller en désignant le siège où était assis son rival quelques secondes auparavant, il y a des solutions. Ne serait-ce que la Fondation...

Pour améliorer son image ternie par une succession d'affaires où les mots CGP et corruption avaient été étroitement mêlés, Chavaignac avait créé trois ans auparavant une fondation destinée à réinsérer les exclus « qui le voulaient vraiment », comme l'avait expliqué à l'époque le dossier de presse. Cette admirable vitrine était si tentante que deux ou trois fois elle avait été utilisée pour des opérations comptables que l'étroitesse d'esprit des commissaires aux comptes du groupe avait rendues nécessaires.

Un voyant clignota sur le bureau présidentiel. Chavaignac appuya sur un bouton.

— Quoi ? Mais non, dites-lui que j'arrive tout de suite.

Il grogna en haussant les épaules, exaspéré.

— Ma visiteuse fait une crise de nerfs.

Il regarda Pascal Grosvallon.

— Un mauvais accord vaut mieux qu'un long procès, tu connais ma philosophie, dit-il d'un ton emphatique.

— C'est bien mon avis aussi.

— Et si elle refuse ? dit Chavaignac brusquement inquiet.

— Elle n'osera pas.

— Jusqu'à présent, c'est elle qui a toujours eu une longueur d'avance sur nous. Et si elle déposait plainte pour faux, ce serait un problème, non ?

— Je n'y crois pas, elle est trop futée. Mais si elle refuse on a quand même des moyens de pression sur elle, dit Grosvallon, en songeant à l'article qu'il avait réussi jusque-là à bloquer et qui pourrait ressurgir à l'occasion.

— Pour l'instant, elle a de quoi tenir.

— On peut déposer plainte contre elle et puis la retirer, on l'a déjà fait souvent. Et puis on lui ferait une sacrée réputation auprès de ses futurs employeurs...

— Et si ça ne suffisait pas ?

— Eh bien, il y a toujours d'autres méthodes, dit d'une voix presque inaudible Grosvallon. On les a bien utilisées en dernier recours une ou deux fois.

Le conseiller faisait allusion à une équipe de gros bras engagée un jour pour s'occuper d'un concurrent qui refusait de participer à une entente sur un marché. Les mercenaires s'étaient malheureusement trompés de cible et avaient envoyé au tapis un vieux monsieur qui promenait son chien dans la rue. L'affaire s'était réglée à l'amiable mais avait coûté cher à la Compagnie.

Chavaignac sursauta.

— Hé ! pas de blagues, s'il te plaît !

— Je ne pensais à rien de violent, se reprit Grosvallon, juste lui faire comprendre où est son intérêt.

— Il faut faire attention avec cette fille, je te préviens, je ne veux aucun dérapage, aucune maladresse.

— Tu es bien timide avec elle je trouve, dit l'autre en sifflant entre ses dents.

— Comme je passe après l'éléphant dans le magasin de porcelaine, je suis bien obligé de faire attention pour deux.

Pascal Grosvallon, qui ne se sentait rien de commun avec cet animal, se sentit offusqué par la comparaison. Il se leva.

— Si tu n'as plus besoin de moi.

Chavaignac fit un geste pour le congédier. Au bout de quelques secondes il appuya sur la touche qui le reliait à sa secrétaire.

— Évelyne ? Faites entrer... Qu'est-ce que vous dites ?

Laetitia Rossi avait quitté le salon d'attente.

27.

Une rupture

Laetitia n'aimait pas les ruptures. Comme c'était elle qui coupait en général les têtes, elle ne manquait pas d'expérience dans ce domaine. Pourtant elle ne s'y habituait pas. Celle-là devait être gérée avec une délicatesse particulière. Elle avait rencontré un homme d'exception et répugnait à mentir à Jérôme. C'était la première raison. La seconde tenait au fait qu'elle n'avait jamais été amoureuse de lui. Il lui avait donné un coup de main, incontestablement, mais leur chemin ensemble s'arrêtait là. Elle en avait assez de faire semblant de s'intéresser à sa carrière, à son projet d'achat d'une fermette normande à retaper le week-end, ou à ses collègues impossibles, paraît-il, à éviter le soir. La rupture était, au fond, le seul acte honnête de leur relation. Ça pouvait paraître horrible ; ça l'était peut-être, mais comment procéder autrement ?

Une dernière raison justifiait cette procédure brutale. Elle était réticente à se l'avouer mais elle savait qu'il lui fallait maintenant changer de partenaire. Jérôme ne pouvait plus rien pour elle. Sa position n'offrait aucune protection pour essayer de sauver ce qui pouvait encore l'être. Sylviane aurait crié de bonheur à l'idée de récupérer 500 000 francs, peut-être un million. Elle se sentait désespérée. Passer aussi près de la fortune et se contenter finalement d'un accord médiocre était une perspective qui la désolait. Pourtant il fallait imaginer une solution. Et rapidement. On attendait du nouvel amant qu'il sorte une arme secrète de sa hotte de Père Noël.

— Bonjour, ma beauté.

La réalité des baisers humides et collants revenait. Il allait falloir trouver les mots pour en finir sans lui faire trop de mal. Penser à Luigi, se donner du courage. En espérant qu'il n'y aurait pas d'esclandre. Elle avait choisi le bar de l'hôtel Meurice dont elle appréciait la rénovation menée avec beaucoup de goût.

— Bonne journée ? Moi j'ai eu tout le monde sur le dos, c'était épouvantable... Et ton entrevue avec ton boss s'est passée comment ?

Il devenait urgent d'abréger cette épreuve.

— Jérôme ?

— Oui.

— C'est fini entre nous.

— Tu es d'humeur facétieuse à ce que je vois !

— Tu ne comprends pas. J'ai rencontré un autre homme et... enfin voilà c'est fini.

À son visage grave, il comprit tout à coup.

— Depuis quand ? demanda-t-il sèchement.

— Je n'ai pas envie d'en parler. Épargnons-nous au moins les psychodrames.

Cette tentative d'esquiver la discussion ne réussirait pas, elle le savait. Le premier thème allait tourner autour du rival. Âge, position sociale, lieu de rencontre, apparences, compte en banque, manigances, tout y passerait. Mais comment lui parler de Luigi ? Le duel était trop inégal. En quelques mots, elle l'aurait profondément humilié. Il ne l'avait pas mérité. Malgré quelques phrases désagréables elle avait tenu bon. Elle avait ensuite eu droit au plat de résistance. Le couple, leur couple, leur vie de couple. L'état actuel de leur relation, si prometteuse. Toutes ces difficultés surmontées au prix de tant d'efforts réciproques pour en arriver là ?

Son portable sonna. Elle appuya sur la touche verte.

— Oui ? Ah, bonjour Benoît. Quoi ? Vous êtes désolé pour tout à l'heure. Mais ce n'est pas grave, je vous assure. Hein ? Oui je comprends, ne vous inquiétez pas. Non je ne suis pas libre. Plutôt demain, je vous laisse je suis en rendez-vous. À bientôt.

L'intermède n'avait rien arrangé. Le banquier crut avoir identifié son rival. « Tu manques vraiment d'imagination, coucher avec son patron c'est navrant. En plus dès qu'il t'aura larguée il faudra que tu te retrouves à la fois un mec et un boulot ! » Ce quadragénaire jusque-là prévenant se montrait tout à coup sous un aspect inconnu, décevant. Machiste, méprisant, il essayait de l'atteindre. Une stratégie suicidaire avec n'importe quelle femme et avec elle en particulier. L'idée même de le revoir lui parut insupportable. Brusquement il ricana.

— Tu sais, tu devrais mieux me traiter.

— J'essaye de bien me tenir, moi.

Il eut un sourire qui se voulait sardonique.

— Après tout c'est encore moi qui m'occupe de tes intérêts...

Rien ne m'aura été épargné, songea-t-elle. Même pas ce chantage-là. Au début cet argent venu de nulle part avait eu des effets magiques. Et puis étaient venues quelques remarques acides des copines sur le sac Todd's et sa robe Prada. Un peu trop jaune, ma chérie, c'est passé de mode ces couleurs-là, tu sais.

Elle avait pourtant été plus que raisonnable pour ne choquer personne. Pas de voiture spectaculaire, pas de diamants, pas de vacances extravagantes.

Malgré cela, elle percevait une sourde hostilité. On parlait à mots couverts dans les couloirs de sa soi-disant grosse tête parce qu'elle avait oublié un jour de rappeler Dorothée à la DRH et qu'elle n'avait pas pu assister à un pot donné à l'occasion d'une naissance. Le séjour à Florence avait compliqué la situation. Elle avait eu tort d'en parler. Elle sentait leur antipathie envers Luigi mais ne la comprenait pas. Trop riche ? Trop étranger ? Trop vieux ? Trop différent ? Quant à sa voiture de fonction, elle faisait scandale depuis quelques jours.

— Tu ne m'en crois pas capable ?

Jérôme prenait maintenant le ton du maître chanteur, aggravant son cas. Il en était à la menacer de rendre l'argent en téléphonant directement à Chavaignac, ajoutant la bassesse au ridicule. Comme s'il avait une chance de réussir à lui parler. Depuis le temps, il n'avait toujours pas assimilé les règles du jeu de cet univers.

— Tu me déçois vraiment. Tu ne comprends rien. Ils sont perdus mes 600 millions, je sais que je vais leur rendre ou plutôt ce qu'il en reste. Tiens, puisque tu es si bête je vais l'appeler Benoît et je vais te le passer, tu lui expliqueras toi-même...

Le temps des supplications avait alors succédé à celui des menaces. Non, il n'avait jamais voulu lui nuire, elle le rendait fou simplement. Il ne fallait rien décider dans l'immédiat, il fallait parler, et se revoir, et se reparler. Elle lui dit qu'elle comprenait sa réaction, qu'elle était désolée mais sa décision était prise. Elle se leva de son siège et laissa deux cents francs sur la table. Elle descendit les quelques marches qui la séparaient de l'entrée de l'hôtel. Il était pétrifié, elle le sentait physiquement. Mais son chemin l'attendait, elle le savait, avec, dans le ciel bleu pastel éblouissant, sa petite étoile qui discrètement veillait sur elle.

28.

Examen de passage

Luigi Signorelli n'en revenait pas. En un an, le président de la CGP semblait s'être livré à une frénésie d'acquisitions. Un superbe Douanier Rousseau, deux Matisse, un Braque étaient exposés sur les murs du salon où une domestique stylée venait de l'introduire. L'invitation à ce dîner tombait à pic. Si c'était lui qui avait pris l'initiative d'une rencontre, comme il avait eu l'intention de le faire, le Français se serait méfié.

Il songea à la soirée de la veille avec sa drôle de comtesse. L'idée qu'elle avait rompu avec ce garçon l'avait enchanté. Briser des cœurs à son âge le maintenait d'excellente humeur. Et puis au lit quel dragon ! Les femmes affichant ouvertement leur sensualité se révélaient parfois décevantes. Ce n'était pas son cas. Cette fille le rajeunissait.

— Cher Luigi, comment allez-vous ? Vous avez toujours l'air d'un jeune homme, comment faites-vous ?

Benoît Chavaignac lui serra la main avec une chaleur qui lui parut excessive.

— Vous buvez quelque chose ? Cognac, whisky ? J'ai aussi un vieil armagnac de 1958...

Signorelli accepta un cognac. Son hôte le servit avant de s'asseoir à côté de lui sur l'immense canapé.

249

— Comment vont vos affaires ?

— Assez bien, on a un antidépresseur qui fait un malheur. Notre filiale américaine a eu des problèmes mais c'est presque réglé. Et vous mon cher ?

Benoît Chavaignac était décidé à jouer l'homme serein. Le seul but de cette invitation était d'évaluer les intentions de l'Italien à son égard.

— On n'a pas à se plaindre. Vous avez vu l'autre jour au conseil que le chiffre d'affaires évolue favorablement. Le personnel est motivé. Et nos principaux métiers sont bien orientés.

Luigi Signorelli, que cette langue de bois agaça, prit ostensiblement l'air soucieux.

— Vous êtes bien optimiste. Moi quand je regarde les réactions des marchés je suis un peu refroidi.

Depuis un an la baisse de l'action était de l'ordre de 50 %. C'était d'autant plus inquiétant que, ordinairement, les titres dans cette situation connaissaient à un moment ou à un autre des rebonds. Or l'action CGP restait léthargique : apparemment les financiers se méfiaient de la société et de son état-major.

Il n'était pas le seul à se poser des questions. Le banquier du groupe, l'administrateur responsable d'un cabinet de conseil et l'Américain en charge des retraités californiens ne comprenaient pas non plus les craintes qu'inspirait aux analystes et au public une société dont les comptes paraissaient sains.

— C'est conjoncturel, toutes les valeurs de la cote ont connu ça un jour ou l'autre, vous le savez bien, dit avec un peu trop de nonchalance le responsable de la situation.

— Ça fait plus d'un an maintenant. Que comptez-vous faire ?

La Secrétaire

Le président de la compagnie eut l'air contrarié. Il recevait son actionnaire dans son six-pièces de l'avenue Mozart, au cœur du seizième arrondissement, pour entretenir la cordialité de leurs relations, pas pour passer un examen.

— Luigi, je ne suis pas magicien, je ne peux pas sortir un lapin de mon chapeau tous les matins pour faire plaisir à ces messieurs...

— Comment se présenteront les comptes pour le premier semestre ? lâcha Signorelli, faussement désinvolte.

— Dans la continuité de l'année dernière, je pense, répondit Chavaignac en essayant de rester aimable. Avec peut-être une petite baisse mais rien de grave.

Ce type se fout de moi, songeait l'Italien que cette assurance inquiéta. Le moment était venu de vérifier certaines informations.

— En ce moment, ça me paraît au contraire assez ennuyeux. Qu'est-ce qui explique ces résultats décevants ?

Benoît Chavaignac hésita. Il ne voulait pas révéler la gravité de la situation mais ne pouvait pas se contenter d'esquiver.

— On a raté notre coup en Ouzbékistan, c'est...

— Je sais où c'est.

— Ah bon ? dit son interlocuteur, surpris. On a aussi investi dans des opérations de rénovation urbaine qui se cassent la figure.

— La note sera de combien ?

— En tout, peut-être deux milliards. Ou un peu plus.

— C'est beaucoup, dit l'Italien en prenant un air lugubre.

— Oui je sais... on a prévu de réagir.

— Comment ?

— On avait un plan social dans les cartons depuis un moment, il va falloir accélérer sa mise en œuvre.

— Quelle ampleur ?

— 20 % des effectifs environ.

Signorelli hocha la tête. Quinze mille personnes mises à la rue à cause de cette bande d'incapables.

— Vous l'annoncez quand ?

Le président de la CGP venait d'inventer ce plan qui n'avait jamais existé. Pendant longtemps le sacrifice des employés de base avait été le moyen d'exorciser la baisse des cours. Si le remède n'était plus aussi efficace qu'autrefois, il ne réclamait pas trop d'efforts d'imagination. Mais maintenant que l'idée était sur le tapis du salon il fallait bien l'aider à prendre forme.

— Notre DRH devrait faire des propositions après les vacances, dit-il avec l'aplomb qui avait établi sa réputation.

— Donc vous le rendriez public en septembre ? insista l'Italien avec une touche de sadisme.

— C'est un calendrier possible, dit le président sur la défensive.

— C'est vous qui vous en chargerez ?

Benoît Chavaignac n'était pas dupe de ces souhaits camouflés en questions polies.

— Il faut voir. On en parlera au prochain conseil.

— Au fait, dit Signorelli d'un air distrait, cette fille qui était là la dernière fois...

— ... n'a plus de raison d'y être. Comme je vous l'avais dit, elle portait des actions, mais c'est fini.

— Ces actions n'ont pas été vendues, tout de même ? Pas en ce moment ?

Le bon sourire de son interlocuteur fit pester silencieusement l'Italien.

— Bien sûr que non, nous ne sommes pas fous, Luigi !

— Et l'introduction en Bourse de notre branche BTP ? Est-ce que c'est vraiment le moment ?

— Ça se passera bien, ne vous inquiétez pas. On a fait un gros travail de préparation de la presse et des analystes, que ce soit ici ou à New York.

— Pourquoi ne pas reporter ?

— Impossible, dit Chavaignac un peu trop brutalement au goût de son interlocuteur. Enfin on peut toujours reculer mais ça inquiète aussi les marchés.

— Mais on n'a pas besoin de cet argent, Benoît.

L'effort désespéré de Chavaignac pour paraître décontracté sur le sujet alarma sérieusement l'administrateur de la CGP.

— Non, bien sûr. Mais comme je l'ai déjà expliqué je crois que c'est le moment idéal pour renforcer la trésorerie et se constituer un trésor de guerre pour l'avenir.

— Mais si cette opération échoue ?

— Ça ne peut pas échouer, grinça Chavaignac catégorique.

— Pour en revenir à la fille, c'est une vraie beauté...

Le Français leva les yeux au ciel.

— Ça oui, mais pour le reste c'est une tête de cochon !

— Pourquoi ?

— Elle...

L'Italien venait de le piéger. Chavaignac sentit qu'il fallait lâcher quelques miettes sur ce qui se passait.

— Oh, c'est une histoire sans intérêt. Mais en gros elle s'est retrouvée, à la suite d'un loupé, avec de l'argent de la Compagnie et... enfin on a du mal à la convaincre de le rendre, ce qui est quand même incroyable !

— Vous voulez que je joue les négociateurs ? dit l'amant de Laetitia sur le ton de la plaisanterie.

L'autre avala d'un coup l'hameçon.

— Tiens, et pourquoi pas ?

— Quel est exactement l'objectif ? La somme en question est de quel ordre, au fait ?

— 600 millions de francs.

— Pas mal, ricana Signorelli en émettant un sifflement admiratif.

— Il faudrait qu'elle fasse un virement sur un compte que je vous indiquerai et qu'elle signe un papier comme quoi cet argent ne lui appartenait pas.

— Pourquoi ce document ?

— Oh, juste pour la tenir en cas de problème, dit Chavaignac en adressant une grimace complice à son interlocuteur. Mais j'ai peur que vous ayez plus de mal à la convaincre que vous ne le pensez.

— Laissez-moi faire, Benoît.

— Je vous la confie, si j'ose dire, dit-il en gloussant, très content de lui. Ah, au fait, Luigi, je voulais vous demander quelque chose. À vrai dire je connais votre réponse mais je préférais l'entendre de votre bouche.

L'Italien s'empêcha de sourire.

— Notre investissement au Brésil...

— Oui ? fit Signorelli.

— ... vous y croyez ?

— Vous me demandez si je vous soutiendrais en cas de vote c'est ça ?

Chavaignac eut l'air soulagé.

— Exactement.

— Eh bien, la réponse est oui, dit son interlocuteur soudain grave.

— Ah, vous me faites plaisir, Luigi.

Le soulagement du Français lui fit pitié.

— Cela dit, je crois qu'il faudra suivre de près cette affaire.

— Ne vous faites aucun souci. Je m'en occuperai per-sonnellement.

— Alors, dans ces conditions...

On sonna à la porte.

— Ah, ce sont nos amis, reprit le président d'un ton guilleret, il y a un avocat, un ancien ministre qui a rendu quelques services à la Compagnie et sa femme qui travaille à la télévision, ils sont charmants vous verrez. Bon, alors vous acceptez vraiment d'être notre émissaire auprès de cette fille ?

— Mais oui, si ça vous rend service.

— Si vous saviez à quel point ! Ma vie est empoisonnée par cette histoire depuis deux mois. En plus ça a créé un mauvais climat interne. Les gens ont cru qu'elle possédait vraiment la société, ils sont devenus insupportables, si vous saviez !

Luigi Signorelli songea que son interlocuteur était mal informé pour un dirigeant. Personne pour l'alerter sur la liaison entre l'employée qui faisait trembler la CGP et son principal actionnaire. Encore une regrettable défaillance.

Il y eut un brouhaha dans la pièce voisine. L'hôte se leva, un sourire aux lèvres.

— Et puis, mon cher Luigi, si votre mission se passe comme on peut l'espérer, dit-il, convaincu que l'autre n'avait pas la moindre chance, peut-être que vous aurez même une sorte de prime de résultat, qui sait ?

L'aveuglement de cet imbécile devenait comique.

— En effet, mon cher Benoît, qui sait ? Allons retrouver vos invités, ils doivent s'impatienter.

29.

Arnaques

Elle était en train de relire pour la troisième fois le protocole d'accord lorsque Sylviane entra en trombe dans la pièce.

— Tu sais ce qui se passe ?

— Non.

Le président l'attendait dans cinq minutes pour apposer sa signature sur le traité de paix.

— Ils veulent se débarrasser de Dorothée.

— Ah bon, dit Laetitia, en quête d'une formule traduisant mieux l'indignation qu'elle aurait dû éprouver. C'est sérieux cette fois ?

— Tu parles si c'est sérieux ! Ce salopard de Buté lui a annoncé qu'elle était affectée à Aubervilliers...

— Là où ils viennent d'installer la nouvelle filiale, Intertechnologies ?

— Exactement.

— Mais ce n'est pas ce qu'elle voulait ? Il me semble qu'elle avait fait...

Sylviane lui jeta un regard sévère.

— Elle était en effet d'accord pour changer...

— ... mais pas pour la banlieue, je comprends, dit Laetitia sans pouvoir dissimuler son ironie.

— Ça n'a rien de drôle, grommela sa voisine de bureau qui avait pris à cœur ces dernières semaines son rôle de résistante à l'arbitraire patronal, et qui était devenue l'interlocutrice de toutes les victimes de la Compagnie.

— Je n'ai pas dit ça, reprit Laetitia.

Il y eut un silence qui n'annonçait pas l'échange d'amabilités.

— Tu trouves qu'elle a tort ? Elle habite à un quart d'heure de l'Étoile. Si elle va là-bas il lui faudra une heure de métro, ça te paraît normal ?

Laetitia n'avait pas envie de débattre du cas de la secrétaire du directeur-adjoint des Ressources humaines. Elle fit un geste d'impuissance en espérant que cette lâcheté se révélerait payante.

— Je vois, enchaîna Sylviane qui n'était pas du genre à lâcher un os tombé entre ses mains.

— Tu ne vois rien du tout.

— Mais si. Tout ça ne te concerne plus. Tu as changé depuis quelques semaines...

— J'espérais que tu m'épargnerais ce numéro, grinça Laetitia en songeant à la reconnaissance que lui avait manifestée quelques semaines auparavant sa collègue.

— Oh, je sais ce que tu penses.

— Et je pense quoi ?

— Que je suis une ingrate, lâcha Sylviane en tordant la bouche, qu'on ne reconnaît pas tes mérites à leur juste valeur, ce genre de choses.

L'accusée ne répondit rien.

— Eh bien il n'empêche que tu es dans les hautes sphères, que tu le veuilles ou non. D'ailleurs tu trouves normal que je prenne tes appels et tu ne fais plus que passer en coup de vent dans le bureau. Évidemment, je sais que tu as des rendez-vous toute la journée. Je ne te le reproche pas, note bien...

— Tu es trop aimable, dit Laetitia en s'inclinant devant elle.

— ... je constate simplement que tu n'es plus concernée par ce qui nous arrive...

— Nous arrive ? insista son amie.

— Dorothée est avec nous depuis le début.

— C'est beaucoup dire.

— En tout cas elle s'est impliquée, on ne peut pas la laisser tomber.

Laetitia s'efforçait de parler avec calme.

— Elle a quand même fait ce qu'il fallait pour avoir des problèmes. Elle refuse depuis un mois de travailler pour Daniel et elle a rompu avec lui en le traitant de connard et d'impuissant dans les couloirs !

— Il fait tout ce qu'il peut pour l'humilier ! Il l'obligeait à rester jusqu'à 8 heures au bureau.

— Quand ils couchaient ensemble ça ne la gênait pas !

— Comment oses-tu dire des choses pareilles ? bredouilla Sylviane sous le coup d'une sincère indignation.

Le téléphone sonna. Laetitia tendit le bras.

— Oui ? Ah, maintenant ? Bon d'accord.

— Vas-y, monte vite voir ton président, railla Sylviane alors qu'elle venait à peine de raccrocher.

— Ça te pose un problème ?

— Pas du tout, nous sommes habitués maintenant. Il faut bien discuter de la façon dont on va faire cracher cette boîte pour tes amis actionnaires.

— Ce ne sont pas mes amis !

— Même monsieur Signorelli ?

Laetitia éprouva un sentiment d'exaspération.

— Je crois qu'on ne se comprend plus.

— Je suis quand même obligée de constater que tu as changé de camp.

— Ça suffit ! hurla Laetitia, c'est moi qui me bagarre toute seule depuis le début de cette histoire, alors tes leçons de morale tu peux te les garder, d'accord ? Si je me tape une plainte pour escroquerie, c'est toi qui paieras l'avocat ? Tu vendras ton pavillon pour payer les indemnités ?

Laetitia Rossi haussa les épaules et sortit en claquant avec violence la porte du bureau. L'ascenseur du président l'attendait. À peine arrivée au neuvième étage, Évelyne lui fit signe d'entrer. Benoît Chavaignac se leva et fit quelques pas dans sa direction. Il lui passa le bras sur l'épaule dans un geste familier qu'elle ne lui avait jamais vu.

— Je suis ravi de vous voir. Vous avez passé un bon week-end ?

Laetitia songea au temps passé à déambuler avenue Montaigne avec Luigi et à discuter de son rôle inattendu de négociateur. Il l'avait convaincue sans difficulté de rendre cet argent qui devenait de plus en plus dangereux. Racheter ses actions ? Pour en faire quoi ? En admettant même que la BNP accepte de passer ses ordres, ce qui n'était pas acquis, surtout depuis sa rupture avec Jérôme.

— Excellent, merci.

— Tant mieux, tant mieux. Bon, on se débarrasse de la corvée ?

— Si vous voulez.

— Après on parlera de vous.

— Volontiers.

Benoît Chavaignac saisit une pile de feuillets et les fit glisser vers elle.

— Notre ami Luigi Signorelli a apparemment déployé tous ses talents...

260

Ne pas sourire, surtout ne montrer aucun signe de sympathie ou même d'intérêt. Elle n'était plus qu'un requin camouflé en agneau.

— .. j'en suis heureux car cette affaire devenait vraiment ridicule. J'espère que vous êtes consciente des efforts que nous avons faits.

Elle lisait la page deux du protocole au moment où son cœur s'arrêta. Au terme de deux conversations téléphoniques, l'Italien avait convaincu Chavaignac de lui lâcher cinq millions d'indemnités. La veille, le dimanche, il avait accepté et maintenant il revenait sur sa parole. Enfoiré de PDG, songeait-elle en réfléchissant à la tactique à suivre. Elle reposa tranquillement les papiers devant elle.

— Nous ne pourrons pas signer aujourd'hui, dit-elle en fixant son interlocuteur avec un grand sourire.

Il avait changé de tête.

— Que se passe-t-il, Laetitia ?

— Vous le savez très bien.

— Mais non, je vous assure.

C'était donc ça les affaires à un certain niveau. Des discussions de maquignons pendant des heures et des filouteries jusqu'au dernier moment. Heureusement que Luigi l'avait préparée à ce scénario.

— Luigi... monsieur Signorelli m'avait dit que nous étions d'accord sur le chiffre de cinq millions, et je vois qu'il est question de deux millions. Je suppose qu'il y a eu un malentendu entre vous, donc il faudrait le mettre au courant...

À l'idée que son actionnaire soit informé de ce rebondissement, Chavaignac éprouva un désagréable malaise.

— Je ne crois pas que c'était le chiffre convenu, fit-il tout de même dans une ultime tentative de remporter la victoire symbolique qui lui permettrait de fermer le bec d'un Grosvallon révolté par le montant du deal.

Laetitia savait désormais comment fonctionnaient ces petits messieurs. Elle se leva donc.

— Ce n'est pas grave, Benoît. Je vous laisse le joindre ?

— C'est bon, je vais être conciliant une fois de plus ! Vous êtes incroyable, vous arrivez toujours à ce que vous voulez dans la vie ?

— Souvent oui, dit-elle en esquissant un charmant sourire.

Il reprit les documents et corrigea à la main le montant des sommes. Un contrat pouvait porter des mentions manuscrites si elles étaient accompagnées du paraphe des signataires, elle le savait.

— Tenez, dit-il en lui passant à nouveau les feuilles.

Laetitia hésita à les relire. Il prendrait cette méfiance affichée comme un affront. Mais d'un autre côté il y avait les recommandations de son protecteur, expert en manœuvres de ce genre. Elle s'empara directement du feuillet en cause.

— Cinq millions en deux versements, lut-elle à haute voix sans réussir à croire ce qu'elle avait sous les yeux. Le premier le 31 mai, aujourd'hui, et le deuxième le 19 décembre...

— C'est classique dans les affaires, dit-il d'un ton tranchant. Je ne suis pas disposé...

Elle se leva à nouveau.

— Je crois que la plaisanterie a assez duré. Je me suis trompée sur vous, tant pis pour moi, fit-elle en prenant une mine désolée. Au revoir, monsieur le Président.

— Mais qu'est-ce que vous faites ? Où allez-vous ?

Elle atteignit la porte et l'ouvrit. Cette petite péronnelle semblait vraiment décidée à rompre. Quelle rapacité ces employés, songea-t-il avec amertume.

— Laetitia, revenez !

Elle secoua la tête.

— J'en ai assez qu'on se fiche de moi.

— Je vous dis de revenir !

— Et il y aura encore une clause dans un coin qui annulera ce qui a été signé.

— Non, je vous le promets. C'est bon pour vos cinq millions en une seule fois.

Elle se tenait, méfiante, devant la lourde porte qu'elle venait de refermer mais ne bougeait pas. Une dizaine de mètres les séparaient.

— Qu'est-ce que vous faites, plantée là-bas ?

— J'hésite.

Il attrapa son stylo d'un geste furieux.

— Voilà, je raye la phrase et je mets en un seul versement ce jour, et je signe. Ça vous va comme ça ?

— Oui, oui, et il faudra tous les jours que je vienne supplier Évelyne pour savoir où en est mon chèque.

Il ne put réprimer un juron à peine étouffé.

— Qu'est-ce que vous avez dit ? Je n'entends pas bien d'ici.

— Rien, rien.

— Il appuya sur une touche de son interphone.

— Gaillon ? Faites préparer un chèque de cinq millions à l'ordre de Laetitia Rossi, avec deux S et un I à la fin. Vous me le montez dès que possible. Quoi ? Mais mêlez-vous de vos affaires ! C'est incroyable ça ! Hein ? Mais on s'en fout ! On trouvera, conseils, honoraires, n'importe quelle connerie fera l'affaire, mon vieux. Allez vite, je vous attends.

Laetitia revint s'asseoir d'un pas lent. Il fallait maintenir ce voyou cravaté sous pression. À la première incartade fin des négociations.

— Voilà, on a finalement accepté toutes vos conditions, dit-il en poussant timidement le fameux accord dans sa direction.

Cette fois tout paraissait conforme aux accords passés. Elle vérifia les dates, l'emplacement de la signature, les paraphes sur chaque page. S'il y avait encore une arnaque elle était bien planquée. Benoît Chavaignac faisait des efforts méritoires pour animer une conversation qu'elle se refusait à alimenter. Du moins tant que le dénouement n'aurait pas eu lieu. Il lui sembla qu'il était question d'un plan social imminent et de son rôle dans l'annonce publique de ces joyeuses nouvelles. Cause toujours mon lapin. Elle pourrait aussi faire la liste tant qu'on y était !

— Alors vous êtes d'accord ?

— Mais pour quoi exactement, monsieur le Président ?

— Je n'ai pas été assez clair ? En tant que responsable des petits actionnaires vous seriez avec moi à la tribune lors de l'assemblée générale et vous diriez en quelques mots que ce plan était indispensable mais qu'il est en réalité très limité. Indispensable, c'est pour le cours de Bourse, limité...

— ... c'est pour le petit personnel.

Laetitia s'interrogeait sur la façon de gagner du temps, lorsque l'interphone grésilla.

— Évelyne ? Faites-le entrer.

Une seconde après le directeur financier pénétrait à grandes enjambées dans le bureau.

— Vous vous connaissez, je crois ? fit Chavaignac sarcastique.

— Oui en effet. Voilà le chèque monsieur le Président.

— Merci.

— C'est tout ? demanda Gaillon qui paraissait espérer autre chose.

— Oui.

— Alors je vous laisse.

Le président de la Compagnie tendit le chèque à Laetitia qui essayait de réprimer sa fébrilité. Juste le temps de vérifier quand même le montant.

— Merci.

— Je vous en prie. Alors c'est d'accord ?

— Pour quoi ?

— L'assemblée des actionnaires ?

— Je ne peux pas faire ça.

— Écoutez, vous avez le temps d'y réfléchir, elle a lieu après l'été. Mais nous avons fait tout ce que nous pouvions pour être aimables, Laetitia, et il y a des moments dans la vie où...

— ... il faut savoir renvoyer l'ascenseur. Je suis d'accord mais ça je ne peux pas. J'aurais l'air... de...

— D'être l'otage de la direction, c'est ça ? Oh, arrêtez avec ces histoires-là. Vous êtes ambitieuse, vous l'avez prouvé, alors ne faites pas l'oie blanche, par pitié !

— Vous n'avez pas besoin de moi pour annoncer une vague de charrettes, bon sang !

Benoît Chavaignac secoua la tête. Il paraissait amer.

— Je ne devrais pas vous dire ça, mais la CGC a déposé un préavis de grève si on applique le nouveau système d'intéressement des cadres sous prétexte qu'il est un peu moins avantageux. Et puis une partie des personnels de la branche BTP s'agite pas mal, ils craignent des réductions d'effectifs.

— On ne peut pas leur donner tort.

— Mais ce sont mes actionnaires qui m'imposent ça ! C'est Signorelli lui-même qui est venu chez moi l'exiger.

— Ça m'étonnerait que Luigi...

Trop tard. Elle n'avait pu s'empêcher de réagir. Plus que le prénom, c'était son ton passionné qui l'avait trahie, elle le sentait. Le visage de Benoît Chavaignac s'était métamorphosé. Elle devinait ses pensées. Elle allait aussi vite que lui. D'où vient cette intimité ? Ils n'avaient tout de même pas... Et c'était lui qu'il avait choisi comme médiateur ! Depuis combien de temps jouait-elle avec lui ? Il la regarda avec une férocité qui l'effraya.

— Vous couchez avec lui depuis longtemps ? demanda-t-il, parfaitement maître de lui.

— Mais ce n'est pas la question, je ne vous permets pas..., bredouilla-t-elle d'une façon lamentable qui valait tous les aveux.

— Vous devez vraiment me prendre pour le roi des cons, dit-il avec une grimace de rage.

— Pas du tout. D'ailleurs je ne comprends rien à ce que vous dites.

— Puisque vous êtes une femme très informée, vous pourriez peut-être me dire pourquoi Luigi réunit après-demain un conseil extraordinaire, hein ?

Signorelli ne lui avait pas parlé de cet épisode.

— Je n'étais pas au courant.

Son sourire devint franchement amer.

— Bien sûr, c'est idiot de vous poser cette question, fit-il, convaincu qu'aucun détail de l'affaire ne lui était inconnu.

— Je vous assure que...

— Vous vous êtes bien foutus de moi, hein ?

— Mais absolument pas !

Il s'échauffait tout seul.

— Vous n'étiez rien lorsque je vous ai fait entrer au conseil.

— Une seconde, c'est bien vous qui aviez besoin de moi en cas de problème, non ?

— Vous connaissez l'histoire de la grenouille qui veut se faire aussi grosse que le bœuf ?

266

— Ne faites pas votre numéro, ça ne m'impressionne pas.

Il était devenu blanc.

— C'est scandaleux ce que vous dites, dit-il en élevant la voix. Je n'ai rien à craindre de mon conseil, je les ai tous choisis ! Vous me prenez pour qui ? Vous n'êtes qu'une petite secrétaire qui a pété les plombs, c'est tout !

— Et vous qu'un incapable, vous mentez à tout le monde, à vos employés, à vos banquier, eh oui, même à vos administrateurs !

Le président vacilla sous ce coup qu'il n'avait pas vu venir.

— De quel droit... comment osez-vous me parler ainsi ?

Laetitia réalisa qu'elle était allée trop loin. Il ne lui restait plus qu'à se taire.

— Vous n'êtes rien du tout ! Vous croyez que vous êtes arrivée parce que vous serez la maîtresse de Signorelli pendant deux mois. Mais combien de filles du groupe ont fini leur carrière dans son lit à votre avis ? Dites un chiffre ? Cinq ? Dix ? Finalement vous êtes d'une naïveté touchante.

Laetitia comprenait que cette liaison allait maintenant lui coûter cher. Curieux. Tout le reste passait sauf cette partie de jambes en l'air. Benoît Chavaignac avait la hargne de l'amoureux transi.

— Dans ces conditions, je pense que je n'ai pas besoin d'insister sur ce qui vous reste à faire.

Elle se cabra d'un air de défi.

— Justement si, insistez monsieur le Président, je suis une idiote de secrétaire, comme vous venez de le dire, je ne comprends pas le langage codé, les fines allusions. Alors qu'est-ce que je suis censée faire ?

— Quitter le groupe, dit-il en serrant les lèvres.

Son téléphone portable sonnait. Il ne répondit pas.

— Quand ?

— Ce soir me paraît une bonne date.

Laetitia se sentit accablée. Ce n'était pas ce qu'elle avait voulu.

— Et pourquoi...

— Ce n'est pas négociable.

— Vous êtes bien pressé tout à coup !

— Passez voir Buté régler les papiers.

— Justement on n'a pas encore parlé de mes indemnités.

— Vous avez cinq millions, ça me paraît suffisant.

Elle le dévisagea avec une insolence calculée.

— Pas à moi figurez-vous !

— On en restera là !

— C'est ce qu'on verra, dit-elle en se levant brusquement et en se dirigeant vers la porte.

— On ne vous a pas appris à dire au revoir mademoiselle Rossi ?

Elle ne répondit rien avant d'avoir ouvert la porte.

Elle souhaitait qu'Évelyne entende leur échange.

— Seulement aux gens bien élevés, monsieur le Président, dit-elle en se retournant une dernière fois vers lui et en s'inclinant légèrement.

30.

Guillotine

Pascal Grosvallon se rongeait les ongles avec une application particulière. Ce n'était pas chez lui le signe d'une anxiété notable mais plutôt celui du désœuvrement. Ce conseil d'administration extraordinaire ne l'inquiétait pas. Il croyait peu aux complots, à l'exception de ceux dans lesquels il trempait. Dehors le temps resplendissant lui donna envie de faire l'école buissonnière. Ce serait pour plus tard. Pour l'instant, le président, arrivé un peu en retard, venait de passer la parole au représentant de la Société générale. Filippini avait tenu à le féliciter pour sa hauteur de vues dans la conduite du groupe.

— ... un seul point continue cependant à nous préoccuper, c'est le projet d'investissement du groupe au Brésil. Nous avons reçu des documents sur ce dossier, mais certains d'entre nous se posent toujours des questions sur l'opportunité de ce choix...

Le brouhaha furtif qui s'éleva pouvait laisser penser qu'une partie de l'assistance partageait ce point de vue.

— ... et pour tout dire, poursuivit-il en cherchant du regard certains administrateurs, au vu des derniers éléments d'information dont nous disposons, notamment les réactions des investisseurs londoniens, particulièrement sur les nerfs en ce moment, il nous semblerait opportun de reconsidérer cette opération et en tout cas de la repousser. Or, elle doit avoir lieu très prochainement d'après ce qui nous a été dit au dernier conseil. D'où cette réunion pour trancher définitivement cette question.

Cette présentation hypocrite agaça Chavaignac. On parlait de cette affaire depuis près d'un an. Le groupe devait évangéliser de nouvelles terres. Et ce n'était pas ce banquier timoré qui allait se mettre en travers. D'ailleurs il n'avait pas été le moins enthousiaste au début. Entre les usines fantômes de l'Ouzbékistan, la chaîne de magasins en faillite du Colorado – avec sa cascade de procès à cent millions de dollars chacun –, les placements désastreux – jouer l'Euro à la hausse, belle idée ! – et la révolte d'une poignée de maires contre la Compagnie, la « fraîche », comme disait Grosvallon dans son langage inimitable, commençait à manquer. La chaîne brésilienne soulagerait le groupe sur ce plan. Et puis une filiale aussi lointaine offrait des avantages, ne serait-ce qu'en matière de présentation des comptes. Impossible d'y renoncer. Mais cet imbécile de la Société générale que l'on n'avait, il est vrai, pas pu mettre dans la confidence et qui se faisait encore des illusions sur la prospérité de la CGP, s'acharnait à rouvrir la plaie. Le plus important aux yeux de Chavaignac consistait à apprécier la gravité de la situation. Y avait-il un incendie ? Qui étaient les pyromanes ? Il regarda son conseiller spécial et s'agaça de le voir somnoler. Il l'avait bien servi mais, gavé comme une oie, il ne percevait plus le danger dans la jungle.

— Avant de réagir, enchaîna Chavaignac, décidé à ne pas prendre la parole avant d'avoir identifié d'éventuels opposants, je voudrais donner la parolc aux membres du conseil.

Un vieux monsieur qui représentait une honorable société d'assurance française sortit tout à coup très agité de son demi-sommeil.

— Excusez-moi, chers amis, excusez-moi, répétait-il en cherchant ses mots, je vais devoir vous quitter, il faut que j'aille au conseil de la CGP on m'y attend...

— Tout va bien, cher collègue, dit Chavaignac en réprimant un sourire, vous y êtes !

Des rires discrets se firent entendre. L'incident avait détendu l'atmosphère. Le président interpella du regard l'un de ses administrateurs les plus fidèles, un polytechnicien qui avait créé sa propre affaire dans le bâtiment et à qui il avait fait prêter de l'argent pour qu'il puisse devenir actionnaire de la Compagnie.

— Oui, eh bien..., commença le sexagénaire en se raclant la gorge, l'idée de faire respirer le groupe en pénétrant les marchés de l'Amérique du Sud est bonne à mon avis. Je n'ai pas changé d'avis sur ce point. Cependant...

Il avait pris la peine de l'appeler la veille comme il l'avait fait pour tous les autres. Au téléphone son interlocuteur n'avait pas manifesté l'ombre d'une résistance. Et le voilà qui expliquait en plein conseil qu'il n'y avait pas de nécessité, à bien y réfléchir, à se lancer dans cet investissement somme toute assez risqué. Pascal Grosvallon, sorti de sa torpeur, paraissait prendre la mesure de ce revirement.

— Merci beaucoup pour votre intervention, cher ami, grommela Chavaignac en foudroyant du regard son auteur. Patrice ?

L'homme à qui s'adressait le président de la CGP faisait partie de ces bêtes à concours qui avaient toujours peur qu'on oublie leurs exploits passés. Il était connu dans le Tout-Paris pour se présenter de la même façon depuis trente ans, que ce soit dans les dîners en ville ou à l'occasion des nombreuses manifestations officielles où on pouvait le croiser : « Patrice de Fonttromeu, de l'inspection. » Formule pratique pour rappeler son appartenance à la prestigieuse inspection des Finances, corps d'élite qui faisait d'un côté économiser quelques centaines de millions de francs tous les ans aux contribuables en vérifiant « sur pièces et sur place » – selon la formule d'usage – les comptes de la plus obscure préfecture, tout en jetant d'un autre côté par les fenêtres des dizaines de milliards à l'occasion d'investissements pharaoniques décidés par des banques soucieuses d'atteindre à une dimension planétaire.

— Je ne voudrais pas lasser ce brillant auditoire, commença-t-il, je m'efforcerai donc d'être bref...

« C'est foutu », pensèrent à l'instant la quasi-totalité des membres du conseil. Associé-gérant d'une banque privée réputée pour son goût du secret et sa capacité à imaginer des montages internationaux, ce personnage filiforme ne voyait pas le temps passer lorsqu'on commettait l'imprudence de lui donner la parole. Il remonta jusqu'en 1743, date de la fondation de la Compagnie, pour justifier la diversification en cours et soutenir le choix de son plus gros client. Après une digression d'une dizaine de minutes sur la psychologie des principaux marchés financiers il en arriva à sa conclusion.

— ... c'est pourquoi je me suis finalement rallié à la proposition de notre président. Cette acquisition sera à mon avis un grand succès, tant du point de vue des professionnels...

Benoît Chavaignac jeta un regard en biais pour observer Luigi Signorelli. Imperturbable, il écoutait sans manifester aucun signe de lassitude contrairement à nombre de ses collègues. Qu'est-ce qu'elle pouvait lui trouver à ce vieux beau ? Oh bien sûr il s'exprimait avec facilité. Et puis il avait indéniablement une certaine allure avec ses costumes Cifonelli à vingt mille francs. Même Grosvallon aurait ressemblé à un être humain si on l'avait déguisé ainsi. Et puis cette façon de ne jamais parler d'argent, ou de n'y faire que des allusions codées lui donnait le style grand seigneur désintéressé. Tu parles ! Depuis le temps qu'il le fréquentait, Benoît Chavaignac connaissait la rapacité du personnage. Mais il faisait illusion, même auprès des hommes. Son silence, dans ce contexte, lui paraissait suspect.

Brusquement, le président de la CGP aperçut Laetitia Rossi. Elle s'était installée au fond de la pièce, entre l'Italien et le patron d'un cabinet de conseil anglo-saxon. Il se retourna vers son conseiller et lui lança un regard furieux que l'autre fit semblant de ne pas voir. Elle n'était plus actionnaire : de quel droit s'était-elle invitée à ce conseil d'administration ? En songeant qu'elle allait prendre part à un éventuel vote, un accès de fureur l'envahit. Il aurait fallu envoyer un communiqué et faire les formalités nécessaires auprès de l'administration pour la neutraliser. Mais Grosvallon dormait toute la journée sur ses stock-options ! L'Italien ! Il avait dû lui céder quelques actions. L'avait-elle inquiété en lui parlant de cette affaire ?

— Puis-je dire un mot, Benoît...

C'était Jean Devinon, le responsable du cabinet qui conseillait le groupe en matière d'organisation. Discret, connu pour son sens de l'économie qu'il manifestait à chaque occasion, il intervenait au moment dont ils étaient convenus la veille au téléphone.

— Je voudrais ajouter une précision à ce que vient d'expliquer avec son talent habituel notre ami...

La banque de Patrice de Fonttromeu était l'un des principaux rabatteurs d'affaires du cabinet qu'il dirigeait. Même s'il prenait le haut fonctionnaire pour un crétin ridicule,

Devinon, petit homme frêle à la volonté d'acier, cultivait avec soin ses relations avec lui. L'autre était parfaitement dupe, ce qui amusait beaucoup le microcosme parisien. Ses arguments en faveur d'une meilleure répartition géographique des risques se tenaient et ils étaient appuyés par une série impressionnante de références et de chiffres qui tous soulignaient la réussite d'opérations similaires dans les précédentes semaines. En vérité, Devinon était loin d'être aussi convaincu qu'il en avait l'air, mais il devait un service à Chavaignac qui un an auparavant avait empêché une de ses filiales de rompre un contrat avec son cabinet. L'amitié se nourrissait aussi de ces beaux gestes.

— Je suis tout à fait d'accord...

C'était le vieux fou qui retrouvait un instant de lucidité. Benoît Chavaignac l'avait gardé au conseil par égard pour son prédécesseur dont il avait été proche. Mais il regrettait de plus en plus sa mansuétude.

— ... ces affaires de télévision sont très incertaines..., disait-il d'une voix tremblotante... Personnellement, je pense que nous avons raison de nous tenir à l'écart laissons les autres y perdre leur chemise...

Les administrateurs se regardaient, effarés. Comment un vieillard aussi gâteux pouvait-il encore siéger dans cette enceinte ? Chavaignac capta cette surprise. Il serait débarqué à la prochaine occasion.

— ... c'est comme pour le bâtiment, j'ai bien entendu ce qu'a dit l'orateur qui m'a précédé et je suis absolument d'accord avec lui. Ce genre d'activité n'a rien à faire avec la vocation de notre société, tout le monde sait que les contrats dans ce secteur c'est magouilles et compagnie ! Je voudrais dire aussi...

— Désolé, cher ami, mais nous sommes pris par le temps, l'interrompit grossièrement l'homme qui avait

engagé la diversification de la CGP une décennie auparavant. Maintenant que les choses sont, je l'espère, plus clai-
res, je suggère, si vous en êtes d'accord, que nous votions
sur le principe de cette opération.

Il y eut des hochements de tête. Pascal Grosvallon, enfin
réveillé, scrutait l'assemblée pour évaluer les risques. Il
échangea un coup d'œil complice avec son président.
Celui-ci toussota puis mit aux voix sa proposition.

— Donc qui est pour ?

Le conseil comportait treize membres, qui disposaient
tous du même pouvoir. Pas de droit de vote double pour
le président. Cinq mains se levèrent. Membres de l'état-
major, Grosvallon et Gaillon ne pouvaient évidemment se
dérober. Devinon, le consultant, Fonttromeu, l'inspecteur
des Finances et le vieux fou, qui croyait voter contre la
décision qui venait d'être présentée, soutenaient aussi la
position de Chavaignac. Cela faisait cinq voix. Six en ajoutant la sienne. La majorité lui échappait. Le président était
éberlué.

Une semaine auparavant, Filippini, consulté, n'avait
manifesté aucune réserve sur le projet. « Le Brésil, pourquoi
pas ? Quant à l'engagement du groupe dans la communication, vous savez que la banque vous suit depuis le début » :
il se rappelait chacune de ses paroles. Le sourire qui apparut
une seconde sur le visage de Luigi Signorelli l'exaspéra. Cet
Italien tortueux qui prétendait descendre des Borgia lui
préparait-il un mauvais coup ? Pourtant, il l'avait assuré de
son soutien, chez lui, deux jours auparavant. Deux jours
de loyauté, était-ce trop lui demander ? Était-il sous la
coupe de Laetitia ? Cette fille n'était pas correcte. Elle avait
reçu son chèque et elle le trahissait quand même. À ce
niveau d'ingratitude, les mots lui manquaient.

Le président de la CGP consulta Grosvallon du regard. À ce stade, Chavaignac savait qu'il ne lui restait plus que deux solutions. Ou renoncer à ce projet auquel son âme damnée s'accrochait bec et ongles. Ou foncer, quitte à piocher à nouveau prochainement dans le bas de laine des petits actionnaires qui croyaient depuis des décennies à ce que racontait la Compagnie et semblaient chaque fois plus pressés de lui confier aveuglément leurs économies. Oui, il fallait remettre son mandat en jeu. Le risque était faible. Il veillait attentivement depuis longtemps à ce qu'aucun successeur n'émerge des rangs. D'ailleurs, il avait la confiance des marchés. Et de la presse. Il passa en revue les administrateurs. La Société générale détestait, c'était connu sur la place, se mêler du choix des patrons des sociétés où elle avait des intérêts. Signorelli n'était pas très populaire dans le conseil qui le jugeait arrogant et très exigeant. L'Américain ? Son fonds de pension avait toujours été un acteur dormant lors des grandes manœuvres. Alors qui ? Un outsider venu de l'extérieur sur lequel ces messieurs se seraient mis d'accord au préalable ? Chacun avait ses intérêts. Il les avait soigneusement sélectionnés en fonction de ce critère : pas d'union sacrée possible !

Pascal Grosvallon se livrait de son côté à la même démarche. Il percevait une hostilité larvée dans l'assistance mais, placé loin de Chavaignac, ne pouvait lui confier ses impressions. Il savait que c'était dans ces instants-là que son complice s'en remettait à lui. Il était aussi payé pour ça : défendre leur forteresse contre les assauts des hordes barbares qui rôdaient à l'extérieur. Lui aussi évaluait, en l'espace de quelques secondes, la loyauté des participants. Au-delà de leur mouvement d'humeur voulaient-ils aller plus loin ? Le désaveu public cachait-il un coup d'État ? En dehors du banquier et du gestionnaire californien il fallait aussi compter avec le représentant de la mutuelle des instituteurs, franc-maçon fanatique qui avait peu de raisons de s'allier à un grand capitaliste italien pour faire tomber un homme qui l'avait comblé d'honneurs et de jetons de présence. Un avocat d'affaires nommé là pour sa bonne connaissance des juges de la galerie financière du parquet de Paris, et le vice-président d'un prospère distributeur français complétaient le conseil. Eux non plus n'avaient jamais manqué à Chavaignac. Celui-ci regretta tout à coup de les avoir négligés depuis quelques mois. Il réparerait cet oubli la prochaine fois.

Le vote risquait d'être serré. Pascal Grosvallon se repassait le film dans sa tête. Lui et Gaillon : deux voix. Plus l'obèse de la Société générale : trois. Il fallait ajouter le vieux gâteux, Devinon et Fonttromeu, qui venaient de prouver leur fidélité, et Chavaignac lui-même. Sept voix. Majorité absolue. Sans compter celle du polytechnicien endetté. Sécurité totale. On pouvait les écraser. Le compte était bon. Quant à l'Italien, il faudrait songer à le débarquer au plus vite, ce qui ne serait pas une mince affaire. L'idéal était de trouver un investisseur capable de lui racheter ses parts à un bon prix. Un homme doux, riche et crédule. Pas facile de mettre la main sur un pigeon de ce genre. Le conseiller spécial songea aussi à une officine de presse dont on lui avait parlé, dirigée par un énarque en rupture avec l'establishment : cette petite société fabriquait des dossiers sur mesure, destinés à discréditer un ennemi, qu'on remettait à quelques journalistes choisis avec soin et qui s'en faisaient l'écho en termes aussi prudents que venimeux. Mais le message passait en général auprès de ceux auxquels il était adressé.

Au fond, Pascal Grosvallon s'en rendait compte en cet instant, ils n'avaient peut-être pas traité cette assemblée avec les égards souhaitables. Le temps des amabilités devait revenir. Après tout, les autres PDG de la place n'agissaient pas autrement. Les conseils d'administration, au moins en France, n'étaient pas là pour représenter la masse des actionnaires mais pour protéger les apparatchiks en place de l'implacable loi des marchés. L'équipe dirigeante de la Compagnie – une vingtaine de personnes – croyait avec enthousiasme au capitalisme qui fabriquait en quelques années des épargnants à l'abri du besoin grâce aux cinquante millions de francs que la société avait prévu de leur octroyer. Ces serviteurs zélés de l'empire croyaient aussi aux notes de frais qui les nourrissaient nuit et jour, week-end compris. Ils croyaient tout autant aux appartements de fonction, aux voitures de fonction, aux vacances de fonction généreusement financés par les consommateurs de décharges industrielles, de télévision, de maisons préfabriquées ou de musique qui faisaient vivre sans le savoir la prospère caravane de l'avenue Mac-Mahon. En revanche, ces managers modernes répugnaient à se justifier en permanence auprès de la veuve de Carpentras ou des grippe-sous californiens. Ils n'aimaient guère analyser pourquoi la division Médias était structurellement déficitaire depuis sa naissance, huit ans auparavant. Ils n'envisageaient pas de renoncer au club de foot espagnol acheté à prix d'or malgré ses résultats modestes. Les analystes financiers et les journalistes leur étaient même antipathiques depuis quelque temps.

Un silence étrange s'était installé, silence d'avant la bataille, où chacun analyse ses forces, évalue les capacités de l'adversaire, scrute la résistance attendue. Benoît Chavaignac surprit tout à coup Luigi Signorelli en train de passer un petit mot à Filippini, installé à côté de lui. Le PDG eut un haut-le-cœur à l'idée que ces deux-là s'étaient associés pour le faire tomber. Pascal Grosvallon, à qui le geste n'avait pas échappé, regarda à son tour son ami. Son signe de tête était plus qu'un encouragement : un conseil, un avis. Presque une décision. Il essayait de se rassurer. L'homme de la Société générale avait apparemment accepté avec réticence le billet doux. Mais ce maquignon de Signorelli était bien capable d'avoir imaginé ce truc pour le déstabiliser et lui faire croire à une complicité imaginaire. Vicieux, cet Italien, comme ses compatriotes. Pas étonnant que leurs papes, les Borgia en tête, qu'il revendiquait parmi ses ancêtres, aient forniqué avec tant d'ardeur dans les alcôves du Vatican, et fait assassiner tant de braves gens dont le seul crime était de se mettre en travers de leur route. Non, ce Florentin dépravé, séducteur de filles faciles, n'aurait pas le dernier mot. Il fallait une fois pour toutes trancher le débat et si possible sa tête. Au sommet de la pique la crinière blanche du milliardaire ! À la lanterne l'aristocrate comploteur !

Benoît Chavaignac se composa le visage du tueur qui s'apprête à exécuter la mission pour laquelle on l'a payé.

— Dans ces conditions, je souhaiterais vérifier que j'ai toujours la confiance du conseil.

L'impassibilité des visages l'effraya. L'effet de surprise escompté ne se produisait pas. Au lieu des commentaires bienveillants espérés – « Vous n'y songez pas président ? », « Mais pourquoi Benoît ? » – le silence mortel des affûteurs de lames. Pour la première fois il envisagea ce que deviendrait sa vie sans la Compagnie. Vingt ans d'efforts, de labeur acharné qui partiraient en fumée. Et Grosvallon, Gaillon et tous les autres condamnés aussi à quitter l'empire, à fuir la nuit, couverts de plumes et de goudron comme autrefois dans l'Ouest !

À cet instant, l'homme qui avait fait de la CGP ce qu'elle était devenue eut peur. S'il avait pu faire marche arrière, il l'aurait fait.

— Que ceux qui considèrent que ma gestion est déficiente et que je dois me retirer lèvent la main, murmura d'une voix étouffée par l'émotion Chavaignac qui espérait vaincre en formulant sa proposition d'une façon aussi provoquante.

Pendant une seconde il ne se passa rien. Il crut avoir triomphé. Il jeta un coup d'œil rapide à Grosvallon qui fit une mimique arrogante dont la signification était claire : « Je te l'avais bien dit. Tous des dégonflés. » Filippini regardait autour de lui ses voisins. C'est alors que Luigi Signorelli souleva le bras. Le PDG le fixait sans y croire. Impossible, il va prendre la bouteille et se verser un verre d'eau. Mais sa main se dressa au-dessus de lui. Pascal Grosvallon laissa échapper une vilaine grimace. Ce fut ensuite le tour du banquier. Ce répugnant personnage nous a trahis lui aussi, pensa avec amertume Chavaignac. Il exigerait du président de la Société générale qu'il le remplace dès le prochain conseil. Sinon il lui interdirait l'accès à la réunion : ça lui apprendrait à mieux choisir ses relations à l'avenir.

C'est alors que se produisit l'impensable : l'instituteur maçon se rallia lui aussi à la rébellion. Chavaignac écumait de rage. Que lui avait-on promis à cet abruti, incapable de lire un bilan ou de diriger ne serait-ce qu'une association de joueurs de boules ? Enfin ce quarteron de minables ne réunissait que trois voix. Le complot accouchait d'une souris. Pitoyable. C'est un cauchemar, songea soudain l'assiégé lorsqu'il aperçut son polytechnicien, cet ingénieur auquel il avait évité l'humiliation d'une faillite, rejoindre piteusement la cabale. Quatre voix : de quoi faire un bridge mais pas un putsch, se rassurait Benoît Chavaignac. Luigi Signorelli fit alors quelque chose d'incroyable. Il se tourna d'un air menaçant vers Rémy Gaillon et Patrice de Fonttromeu. Ils n'allaient pas se laisser impressionner par ce mafieux tout de même ! Deux hommes qu'il avait sous diverses formes comblés de faveurs.

L'inspecteur des finances fut le premier à céder. Il jeta un regard implorant à son ancien protecteur comme pour lui dire : « Comprenez ma situation, cher ami. » Cinq voix. Égalité parfaite. Décision au prochain conseil, songeait déjà le président assiégé. L'avocat d'affaires ne bronchait pas. Enfin un homme d'honneur dans ce cénacle de mercenaires. Curieusement, l'Américain lui aussi restait fidèle. Le fonds des cheminots avait bonne mémoire : entré dans son capital il y avait plus de dix ans, il avait eu le temps de profiter des vaches grasses. Il aurait pourtant juré que ce rapace l'aurait lâché à la première occasion. Filippini se penchait vers le vieux fou. Ces gens étaient vraiment prêts à tout pour le débarquer. Même à abuser d'un homme qui n'avait qu'une heure de lucidité par jour.

Pascal Grosvallon laissa tout à coup échapper un râle douloureux. Le président de la CGP se tourna vers lui, surpris. L'autre lui fit un signe de la main. En face, Gaillon, son propre directeur financier qui assistait à son premier conseil d'administration, venait lui aussi de lever la main avec une satisfaction peinte sur son visage. À voir son large sourire, l'immonde Italien avait manifestement douté jusqu'au bout du succès de son opération. Il ne restait plus qu'elle. Chavaignac capta le regard de Laetitia. Elle fit une petite moue hypocrite. Désolée, Benoît, votre heure est venue, pouvait-il lire sur ses lèvres. Il la fixa d'un air suppliant. Son signe de tête était explicite. Elle leva la main elle aussi. Sept voix. Une majorité absurde qui ne s'appuyait sur aucun projet.

— Mon cher président...

Benoît Chavaignac jeta un coup d'œil exaspéré au boucher de la Société générale qui osait prendre la parole avec une rapidité indécente qui en disait long sur le degré de préparation du complot.

— ... il nous faut constater avec surprise, cher ami, je l'avoue, que le conseil ne vous suit plus. Croyez bien pourtant que nous rendons hommage au fantastique travail accompli pendant toutes ces années...

Ce sermon funèbre prononcé alors qu'il était encore bien vivant lui était insupportable. Tomber sur un projet aussi absurde, quelle ironie, songeait-il. Grosvallon l'avait planté. Eh bien. Chavaignac faillit se lever mais sa curiosité fut la plus forte : quel serait le dénouement de cet effarant vaudeville ? Luigi Signorelli triomphait ostensiblement désormais. Saluant celui-ci, faisant passer un mot à celui-là, adressant un sourire à un autre comparse, il laissait enfin tomber le masque. L'ex-président de la CGP s'interrogeait sur son calendrier : quand avait-il perdu la confiance de l'Italien ? Bien sûr l'action avait beaucoup baissé mais son intuition lui soufflait que la cause de sa disgrâce était ailleurs. Que savait Signorelli des cadavres bien dissimulés dans les archives de la Compagnie ? Normalement rien. À force de passer des provisions dans les comptes ces erreurs auraient fini un jour ou l'autre par disparaître. Non, la vérité c'est que Laetitia Rossi l'avait trahi. On ne lui avait pas laissé le temps de redresser la barre.

— ... et je propose une organisation, poursuivait, sûr de lui, le banquier, qui nous permette d'être mieux informés sur l'évolution du groupe. La nouvelle structure que nous pourrions soumettre au vote de la prochaine assemblée générale des actionnaires serait articulée autour d'un conseil de surveillance d'une part et d'un directoire chargé de la gestion d'autre part.

Quelques murmures de surprise se firent entendre. Venaient-ils des administrateurs restés fidèles ou des rebelles qui découvraient un plan jusque-là plongé dans l'obscurité ?

— Pour le conseil de surveillance, continuait, très à l'aise, le banquier, je suggère d'en confier la présidence à notre ami...

Il laissa planer un suspens qui sembla dérisoire au président renversé.

— ... Luigi Signorelli.

C'était donc ça. Il aurait dû lui proposer un hochet depuis longtemps à ce Florentin pervers. Grave erreur de sa part.

— Quant au directoire, je pense que malgré son entrée récente dans le groupe...

Une vague d'amertume submergea Chavaignac. Ils n'oseraient pas. Ce serait trop indigne.

— ... Rémy Gaillon, dont on connaît la carrière et dont l'expérience sera précieuse pour rétablir la confiance des marchés, ferait un excellent président. Pour l'épauler, je propose la création d'une vice-présidence dont le titulaire serait plus particulièrement en charge des ressources humaines et de la communication interne. Le nom soumis à votre vote surprendra peut-être certains d'entre vous mais ses qualités...

On y est, songea Chavaignac, effaré. L'Africaine vice-présidente de la CGP, fiesta permanente garantie. Ou alors l'oncle marabout ? Pourquoi pas un charlatan de plus, se dit-il avec un rictus : il viendrait donner un coup de main à Grosvallon et à ses nombreux amis, avec ambiance musicale assurée, gris-gris à gogo et séances d'exorcisme pour remplacer le morning meeting consacré à la stratégie.

— ... elle a une connaissance de l'intérieur de la compagnie, elle a travaillé dans plusieurs services...

Mais de qui parle ce guignol ? Benoît Chavaignac cherchait une femme occupant un poste de responsabilité dans le groupe correspondant au portrait qu'il entendait mais ne le trouvait pas.

— ... c'est le nouveau président qui définira plus précisément son profil, mais sa présence...

Rémy Gaillon semblait avoir un peu de mal à digérer la bonne nouvelle : il était nommé mais avec à ses côtés un émissaire ayant la pleine confiance du conseil et à l'évidence chargé de le dénoncer au premier faux pas.

— Vous voulez annoncer vous-même cette nomination, Luigi ?

Signorelli fit non de la tête. Quel numéro d'artistes !

— ... vous êtes sûr ? insistait Filippini.

— Juste un mot alors, dit l'Italien comme à regret, je pense que votre idée de nommer Laetitia Rossi à ce poste est intéressante. Elle n'a pas le profil habituel mais en ces temps de crise il nous faut innover.

La victime du jour éprouva brusquement un pincement au cœur. Ce diable en bustier, cette allumeuse trop longtemps protégée, ce serpent à l'air angélique propulsé à la vice-présidence de sa compagnie ? Le cauchemar continuait. Il ferma les yeux. Il comprenait mieux le sens d'une expression qu'il entendait souvent dans son enfance : boire le calice jusqu'à la lie. Lorsqu'il regarda à nouveau autour de lui, dans un état presque comateux, ce fut pour apercevoir Grosvallon en train de traverser la pièce et s'approcher de Signorelli avec un air respectueux qui en disait plus long que tous les discours.

31.

Bénédictions

— Pas mal ! siffla entre ses dents Sylviane en découvrant le bureau de son ex-collègue, on te soigne en haut lieu.

Deux jours avaient suffi pour accomplir la transition depuis la chute du président de la CGP. La presse s'était passionnée pour cette intrigue digne des meilleures sitcoms diffusées sur la chaîne généraliste du groupe. Laetitia fit du regard le tour du propriétaire. La décoration avait été revue selon ses instructions. Sur les murs, deux tableaux rappelaient l'Italie au temps de sa splendeur. L'un était un Guardi, l'autre un Canaletto, deux des artistes les plus cotés de l'École vénitienne. C'était Daniel Buté qui lui avait suggéré d'aller visiter les caves de la Compagnie, installées au deuxième sous-sol, en lui glissant que des surprises l'y attendaient. Pour le reste, le verre fumé et l'acier régnaient dans une pièce dominée par le gris.

— Il est parti ? demanda Sylviane.

— Qui ?

— Chavaignac.

— Hier. Gaillon devait s'installer ce matin.

— En tout cas, merci pour le cadeau !

— Ce n'est pas moi qui ai décidé, tu t'en doutes. Mais Rémy voulait que je prenne le bureau de Grosvallon. Tu sais, ils font très attention aux symboles.

Sylviane eut un petit sourire en coin.

— Ce n'est pas très rassurant en l'occurrence, dit-elle.

— Que je lui succède ? Ça dépend de quel point de vue on se place...

— Ce qui veut dire ?

— À titre personnel, ce salopard ne s'en sort pas mal pour l'instant.

Sylviane afficha une moue dégoûtée.

— C'est hallucinant. Tu sais, ça choque beaucoup les filles.

— Je comprends, dit d'une voix douce la vice-présidente du directoire de la CGP.

— Mais pourquoi ? continuait Sylviane, déléguée par la base pour essayer de comprendre la nouvelle donne.

Laetitia soupira pour s'attirer la compassion de son ancienne collègue.

— On n'a pas eu l'occasion de parler en détail de tout ce qui s'est passé depuis quelque temps...

— Forcément tu es tout le temps en réunion !

— Je sais, tu as raison. Au départ... enfin ce qui a perdu Benoît... je veux dire Chavaignac...

La sonorité de l'interphone rendit inaudibles ses dernières paroles. Elle appuya sur un bouton rouge.

— Qu'est-ce que c'est ? Je suis en rendez-vous. Qui ?... Non je ne peux pas. Dites-lui que je suis très prise en ce moment. Merci, dit-elle en faisant un geste désolé. C'était Jérôme. Le pauvre, il ne s'en remet pas... Qu'est-ce que je disais, oui, ce qu'on a reproché à Benoît c'est surtout d'avoir dissimulé la gravité de la situation.

— Si tu dis ça c'est qu'ils nous préparent encore un mauvais coup.

— Franchement non. Je le dis parce que c'est tout simplement la réalité. Les bénéfices de ces deux dernières années sont totalement fictifs. Si Maraval avait fait son boulot on aurait dégagé trois milliards de perte il y a deux ans, et au moins dix à douze l'année dernière. Ils ont bouffé toutes les réserves de la Compagnie, et prélevé des royalties délirantes sur des filiales qui sont maintenant très endettées, tout ça pour masquer la réalité de la situation.

— Ça durait depuis combien de temps à ton avis ?

— Difficile à savoir. Avec Rémy on a commandé un audit à un cabinet qui arrive lundi prochain.

— Je vois que vous vous êtes rapprochés tous les deux...

Cette ironie sembla déplacée à Laetitia. Mais ce n'était pas le moment de se fâcher.

— On va travailler ensemble, alors autant essayer de se supporter, dit-elle en affectant de prendre la remarque à la légère. Mais ce n'est pas lui qui m'a imposée, c'est Signorelli. Et c'est lui qui a convaincu les autres membres du conseil d'administration.

— Tu veux dire... Luigi ?

— Voilà, exactement, lâcha d'un ton sec Laetitia.

— Et qu'est-ce qui l'a fait se décider ton Italien ?

— Eh bien, curieusement, ce que je lui avais dit lorsqu'on s'était vus dans le hall... la première fois. Et puis après, il posait des questions auxquelles personne ne répondait. Il a convaincu la Société générale qu'ils allaient au désastre. À eux deux ils ont près d'un quart du capital et ils ont rallié suffisamment de voix pour débarquer Chavaignac.

— Et toi dans tout ça ?

— Luigi voulait un homme neuf. Gaillon faisait l'affaire. Il débarque et n'a aucun intérêt à couvrir qui que ce soit. Il aurait même tendance à charger un peu la barque, à mon avis. Mais pour ne plus dépendre d'une seule source d'information il a persuadé les autres qu'il fallait le flanquer d'un petit ange...

Sylviane ouvrit de grands yeux.

— Non ?

— Eh oui, sourit la nouvelle éminence de la Compagnie, je n'en ai pas l'air ?

— Si bien sûr..., ricana son amie.

— ... capable de donner un autre son de cloche en cas de besoin.

— Tout ça parait très astucieux. Pas folle la guêpe !

— Tu parles de Luigi ?

— Évidemment.

— Oui, je trouve aussi, dit-elle avec une fierté touchante.

— Mais tu ne m'as pas répondu. Que vient faire Grosvallon dans l'affaire ?

— Rémy pense que c'est lui qui a largement contribué à nous planter, notamment dans les pays de l'Est.

— Et qu'il va vous aider à faire le ménage le cher homme !

— Je comprends ton scepticisme. Personnellement je n'étais pas convaincue mais j'ai lâché sur ce point.

— Pourquoi ne pas en parler au signor actionnaire ?

Laetitia trouvait l'humour de son ex-collègue de plus en plus lourd.

— Je ne vais pas faire appel à lui chaque fois que j'ai un désaccord. Rémy le prendrait mal et Luigi en aurait vite marre. Je dois choisir mes terrains de conflit...

— Je vois, de la grande politique. Quatre crocodiles dans le même marigot, chacun surveillant l'autre ! Il va y avoir une sacrée ambiance...

— Je comprends ton point de vue mais c'est comme ça que ça fonctionne aujourd'hui.

L'interphone fit entendre son grésillement familier.

— Excusez-moi. Oui ? Bonjour Pascal. Votre bureau vous convient ? Parfait. Hein ? Sur quoi ? Le contrat brésilien ? Il y avait une clause secrète ?

Laetitia fit une mimique à l'intention de Sylviane, comme autrefois.

— ... non, pas tout de suite. Demandez à ma secrétaire, plutôt en fin de journée. Quoi ? Vous avez trouvé très bien mon petit laïus pour les cadres ? Je suis charmée que ça vous ait plu ! Je vous laisse Pascal, à tout à l'heure.

— Comment arrives-tu à parler sur ce ton à ce type ? Après ce qu'il nous a fait !

Laetitia eut un sourire carnassier.

— Il nous est utile pour quelque temps. Donc on s'en sert...

— Et vous le viderez après usage, comme les poissons ?

— C'est à peu près ça.

— Fais gaffe, il est aussi tordu que vous, le lascar !

— Ça, c'est ce qu'on verra. J'ai déjà un dossier comme ça sur lui que m'a préparé Buté, fit Laetitia en suggérant son épaisseur d'un geste.

— Et au fait, comment es-tu revenue au conseil d'administration ?

La nouvelle vice-présidente avait espéré que cette question resterait dans l'oubli.

— Luigi m'a donné quelques actions, dit-elle d'un air dégagé qui ne passa pas inaperçu de son interlocutrice.

— Je vois. Deux ou trois sans doute ?

Son protecteur lui avait cédé un paquet de titres correspondant à environ un million de francs en lui disant : « Comme ça tu te sentiras plus concernée par les résultats. »

— Tu sais, ça suffit pour siéger dans un conseil. Bon alors qu'est-ce qu'on dit des événements autour de toi ?

— Tu imagines, non ? Il y a ceux qui pensent que tu as couché pour réussir...

— Normal...

— ... ceux qui disent que tu as bien raison de t'envoyer en l'air même si c'est avec des... enfin un homme d'un certain âge.

— Ah bon ?

— ... quant aux filles elles ont un préjugé favorable, bien sûr, mais elles attendent de te voir à l'œuvre.

— Sylviane, est-ce que les gens sont conscients de la gravité de la situation ?

— Franchement non. Et pour tout te dire...

— Arrête !

— ... j'ai moi-même un peu de mal à te croire.

— Sur ma tête je t'assure que c'est sérieux. La compagnie est en danger ! On aura plusieurs années difficiles.

— Tu veux me dire quoi, là ?

Au même moment les deux femmes songeaient à ce qu'avait été leur proximité. Tout à coup cette confiance mutuelle qui les avait liées sembla un lointain souvenir.

— Il faudra serrer les dépenses, peut-être redéployer les effectifs...

Sylviane sursauta dans son large fauteuil.

— Je rêve ! Tu n'as pas mis une semaine pour parler comme eux !

— Comment faut-il le dire ? En chinois ? Oui, il y aura forcément quelques départs mais on fera ça de façon convenable, fais-moi confiance.

L'interphone fit à nouveau entendre sa petite musique.

— Oui ? fit Laetitia, pas fâché de ce répit. Passez-le-moi. Bonjour Rémy, oui tout va bien. J'aime beaucoup le bureau, j'apprécie votre... Si j'ai vu Pascal ? Je lui ai dit de passer tout à l'heure. Nos engagements sur le Net ? D'accord, je lui demanderai. À plus tard.

— Vous avez l'air de bien vous entendre.

— Chacun y met du sien.

La musique de l'interphone à nouveau.

— Je suis désolée, c'est le dernier. Oui ? Oh je n'ai vraiment pas le temps... Bon passez-le-moi, les autres vous leur dites que je suis en rendez-vous. Je vous prends une seconde, juste... Quoi ? Une fuite ? Demain ? Et l'article dit quoi ? Un plan... Mais c'est faux, on n'a même pas fait... enfin je veux dire, rien n'est arrêté définitivement. Faites un démenti, Daniel. Quoi ? Mais enfin ça n'est pas le problème, bon Dieu ! Voyez ça avec les gens de la Communication. Oui, dès cet après-midi, il faut qu'ils l'aient avant de boucler. Je vous vois tout à l'heure.

Laetitia rencontra le regard de sa complice des jours anciens.

— Oh, ne fais pas cette tête-là. Tu vois bien que rien n'est encore décidé.

Sa collègue, manifestement, voulait se donner du courage.

— Je suis obligée de te prévenir. Si vous faites un plan social il y aura des réactions...

— Ce qui veut dire ?

Une sonnerie interrompit à nouveau leur conversation.

— Je vous ai dit... Hein ? Ah, bon, non, non, je vais le prendre.

Laetitia esquissa un geste d'excuse.

— ... oui mon... enfin non pas du tout. J'étais avec... une amie.

À sa voix Sylviane reconnut l'invisible interlocuteur. Elle se leva.

— Je te laisse.

— Ne m'en veux pas, c'est Luigi, il appelle de Florence et je ne l'ai pas eu depuis...

— Ne t'inquiète pas, dit Sylviane avec un sourire qui se voulait compréhensif.

— Je n'en ai pas pour longtemps, dit-elle en posant une main sur le combiné.

— L'idylle continue ?

— Je crois que oui.

— Ce qui signifie ?

— Oh, rien de spécial. Il est juste question que je m'installe chez lui. Mais je garderai mon appartement.

— Ça a l'air bien parti...

— Oh, il n'y a rien de prévu, enchaîna vivement Laetitia. Seulement une petite fête qui devrait avoir lieu cet été, à Florence, dans la maison de famille de Luigi. On sera entre nous, il n'y aura pas plus d'une centaine de personnes. Luigi déteste les mondanités... Tu viendras j'espère ?

— Oui, évidemment.

— Tu verras, il te plaira beaucoup. Bon il faut vraiment que je te laisse sinon il va dire comme toi que j'ai la grosse tête !

Sylviane éclata de rire.

— Bonne chance.

— Toi aussi.

Elle sortit de la pièce. À l'extérieur, Buté attendait sur une chaise. Elle s'approcha de lui.

— Daniel, vous feriez mieux de repasser tout à l'heure, notre vice-présidente est occupée.

Il fit une grimace.

— Autrefois c'était elle qui attendait.

— Eh oui, mais la roue tourne. Et en plus vous êtes toujours là, alors franchement vous auriez tort de vous plaindre !

Le directeur-adjoint des Ressources humaines la regarda chantonner une vieille chanson de Dutronc tandis qu'elle s'éloignait... Il était apparemment question *de filles qu'on laisse tomber sans qu'elles se fassent mal.*

Table

1. L'entretien 9
2. Incidents 17
3. La question 25
4. Reporting 29
5. Le virement 35
6. Une franche explication 39
7. L'idée 45
8. Sacrifices humains 55
9. Atomes crochus 61
10. Le complice 69
11. 600 millions 77
12. L'outrage 83
13. L'actionnaire 89
14. Une petite fête 95
15. Le bureau 101
16. Le PPSR 111
17. Petit Soviet 127
18. Le dîner aux millions 137
19. Préliminaires 141
20. Carnaval 153
21. Le conseil d'administration 169
22. Masques 185

23. Poker menteur 193
24. L'escapade 207
25. Liquidations 223
26. Responsabilités 235
27. Une rupture 245
28. Examen de passage 249
29. Arnaques 257
30. Guillotine 269
31. Bénédictions 285

REMERCIEMENTS

Pour sa ténacité qui m'a obligé à être rigoureux : Françoise Chaffanel ;

Pour avoir participé dès le début à cette aventure : Carole, Stéphanie, Lise, Nathalie et Sophie ;

Pour avoir pris sur son (précieux) temps de sommeil et travaillé plume à la main : Philippe ;

Pour leur talent à traquer la moindre incohérence : Bernard et Muguette V. Et pour sa patience bien sûr : Françoise.

Pour avoir lu le manuscrit avec l'œil du financier : Pierre ;

Pour m'avoir, une fois de plus, fait confiance : M. X, qui reste dans l'anonymat puisqu'il trouve « ridicule de remercier son éditeur ».

DU MÊME AUTEUR

Aux Éditions Albin Michel

L'OMERTÀ FRANÇAISE, en coll. avec Sophie Coignard, 1999.

Chez d'autres éditeurs

LES CARRIÉRISTES, en coll. avec Nicolas Perin, Ramsay, 1983.
SALARIÉ-MATRICULE 1437, roman, Calmann-Lévy, 1997.

La composition de cet ouvrage
a été réalisée par Nord Compo,
l'impression et le brochage ont été effectués
sur presse Cameron dans les ateliers
de Bussière Camedan Imprimeries
à Saint-Amand-Montrond (Cher),
pour le compte des Éditions Albin Michel.

Achevé d'imprimer en avril 2001.
N° d'édition : 19679. N° d'impression : 011801/4.
Dépôt légal : mai 2001.